De blaauw-zil

Salamander

Willem Brakman
De blauw-zilveren koning

Amsterdam

Em. Querido's Uitgeverij B.V.

1983

Eerste druk, 1977; tweede druk, als Salamander, 1983.

ISBN 90 214 9564 3

On m'élit roi, mon peuple m'aime;
Les diadèmes vont sur ma tête pleuvant:

La Fontaine, *Fables* VII-10

Inhoud

Vooraf

Ludwig II, door Gods genade koning van Beieren, werd geboren en stierf binnen de Duitse romantiek, een periode die hem zijn grillige contouren leverde. Maar hoe moeilijk deze omtrekken ook nauwkeurig zijn aan te geven, in talenten vertaald omvat het landschap al bij een eerste blik een verdroomde Schumann, een getourmenteerde, altijd vrouwentroost behoevende Liszt, een Weber en een Wagner met hun ridders, elfen en oerbronnen, de hoogglans van een Uhland en een Eichendorff. In deze opeenstapeling van Sehnsucht, blaue Blume, Wunderland en Waldeinsamkeit blijkt ook op dit hoogtepunt de Duitse romantiek trouw aan zijn meest wezenlijke principe een reactie te zijn op de tot blikkerend geweld geworden Franse revolutie. Er ontwikkelden zich een feodale ideologie, enerzijds in een honger naar het verleden, naar de op smaak afgemaakte maanbetoverde nacht der middeleeuwen, anderzijds in een soort nationaal reveil, een wat amorf voorgestelde wedergeboorte uit de geest der anti-Napoleontische beweging (Wagner).

Het onvaste, vervloeiende en onheldere der romantiek is in de fysionomie van de Beierse vorst, een zelfs voor die tijd bijna 'unzeitgemässe' romanticus, het meest opvallende, het kan alle kanten op en wint hoogstens wat aan vastheid door de herhaling, de intrigerende eenvormigheid van blik niet alleen in de rijen ansichten in de stalletjes om zijn kastelen in het seizoen maar ook in de foto's van kind, jongeling en man der vele biografieën. Een fondantzacht gezicht, een weke mond, later wat aarzelend bepluisd, een glanzende, sterk geonduleerde en overdadige frisuur vormen de entourage van de halfgeloken, dedaigneuze, even boven de horizon wegstarende ogen. Onversneden hoogromantiek hier, een blik die een voor alle actualiteit beveiligd verleden deelt door een factor feodaliteit en als quotiënt een wereld overhoudt van fresco, minnezang en hooggelegen burchten, heroën en andere albasten stampers.

Een limbo der helden aan verre horizon, een hogere werkelijkheid, maar een die, gezien de ogen op ansicht en foto, blijkbaar niet voert tot gloed en geestdrift. Onder de broeierige oogleden loert eerder de verachting voor al wat ruikt en eerlijk zweet, echt bloedt of dissonerend schreeuwt. De wereld der helden laat zo'n stoornis niet toe, zoals ook de huid van Wagner alleen maar zijde en satijn kon verdragen.

Kan het wazige oog in de weke massa zich nog verharden tot een verachtelijke blik, de mond blijft niet achter, verandert mee, pervers wreed, bijna verlekkerd zoals in het statieportret van Schachinger waar Ludwig is afgebeeld als een kruising tussen Nero, Lodewijk xiv en Siegfried. Vooral de laatste is als ingrediënt belangrijk, want de mond is als geschapen voor het *Nibelungenlied*, Germaans epos der gruwelijkheid, eens door Heine even grimmig als treffend neergezet in een poging aan Fransen duidelijk te maken dat het in dat beruchte lied om meer ging dan 'Würfelroll und Becherklang'. Hij schetst een zomernacht met sterren groot als zonnen, een nacht waarin alle gotische domkerken en kathedralen elkaar rendez-vous geven op een geweldige vlakte. Uit Straatsburg, Florence, Rouaan, Parijs dreunen ze kantelend op elkaar toe, maar springen elkaar dan opeens vol wurgwoede naar de keel en hakken op elkaar in met een haat waarbij zelfs die sterren sidderend verbleken – en dan nog zou dat slechts een zwakke beschrijving zijn van Hagens afgrondelijke duisternis of Kriemhildes bloedrode wraakzucht. Liefde beloond met leed is het adagium van het lied dat eindigt op een breed uitgemeten en troosteloos lijkenveld.

Maar de starende Ludwig was ook een katholiek, een hoogromantische kerkganger, iemand wiens nachtelijke bleekheid en zachtheid van doorvoede wang hierop fraai was afgestemd. Zijn kunstig gesneden huisaltaar nam hij overal met zich mee, van München tot aan de hoogste jachthutten, wat wilde zeggen dat hij in zijn dagelijks programma het geloof had opgenomen van de paradoxale verbondenheid der in zonde reddeloos verzonken ziel en de zekere verlossing ervan. Een platonisch naar binnen schijnend licht des hemels overstraalt bij nader inzien zijn aangezicht. Een 'Heile Welt', rond als de lijn der kaak, een wereld van Thomas en Franciscus, wel nog vol peilloze afgronden maar toch afgronden waarvan de gruwel was teruggebracht tot een lichtende glans der duisternis, bijna tot oppervlak, en dus eenheid scheppend, een wel bewogen maar uiteindelijk volmaakt evenwicht. Aan die blik, opeens zo ontheven en sterk ingekeerd, is te zien hoe hier de wil aanwezig is de zin der wereld per se daarbuiten op te zoeken. En toch, alles een vliesje verschoven, een licht floers over de donkerblauwe ogen, een iets verzwakken van de mondpartij, een even dieper uitzakken van de wangbuidels en de blik rust weer op de vertrouwde Germaanse epen, de helden met hun gebaren zo noodlotszwaar door het eraan hangende volle gewicht van volk, bloed en geslacht.

Voor het stalletje te Neuschwanstein, het kasteel dreigend in de rug, dwaalt de blik over de rijen prentkaarten die in het lauwe briesje glanzend wiegen aan een touwtje. Een overdadig aanbod van koningshoofd dat zichzelf optelt tot een bleek romantisch ei op een sokkel van gegalonneerd koningsblauw en waarin en waarop Alberich en Parsifal elkaar bijna geheel bedekken.

De overspannen graalburcht Neuschwanstein behoort tot het type wensdromen dat men maar beter voor zichzelf kan houden, het zijn intimiteiten zonder huid, waarheden die het daglicht niet verdragen. Dit blatend bouwen in de zon en de heldere berglucht wijst al in de richting van een als bijna mensenleeg beleefde en als zodanig bekeken wereld, een ceasarenwaan waarin de mogelijkheid van kwetsuren nauwelijks meer bestond.

Dit moeiteloos in elkaar overglijden der dubbelrollen doet denken aan Gerhart Hauptmanns toneelstuk *Schluck und Jau*, weliswaar eerst in 1900 geschreven maar daarom niet minder illustratief. In het stuk wordt een beschonken landloper, een goedige bucolische lobbes, door een adellijk jachtgezelschap in de bossen slapend aangetroffen. De grap is dat ze de man naar het kasteel brengen, hem kleden als een vorst en hem doen ontwaken als een vorst. Iedereen speelt het spel mee in grote ernst, van hoog tot laag. Zo wordt na een korte verwarring de geleefde werkelijkheid tot droom, een wensdroom werkelijkheid. Maar tot ontsteltenis en gêne van de hele hofhouding ontpopt de lobbes zich als een tiran van de schrilste soort, het regent doodvonnissen en sadismen zodat de grap maar snel wordt beëindigd en de opnieuw benevelde vagebond op zijn oude plekje wordt teruggelegd. Maar met huivering, daar de grol heeft aangetoond hoe moeiteloos het banale en gewone, indien vermenigvuldigd met macht en koningschap kan voeren tot zelfverheerlijking en mensenverachting. In die zin is Ludwig, hoezeer ook een merkwaardigheid van de negentiende eeuw en een illustratie van het daarin woekerende individualisme, evenzeer een actualiteit van de twintigste.

Langzaam versteent Ludwig II van Beieren tot een gebergte van toeristenclichés dat steeds moeilijker is open te breken: Märchenkönig, Traumkönig, vol uitgegroeide decadent van het establishment, martelaar, heilige, een Lohengrin die in het Starnbergermeer niet de dood vond door 'eigenhändiges Ersäufen' maar hetzij zus of zo terugkeerde naar zijn graalburcht.

Bismarck, die ondanks zijn scherpe geest met enkele donkere metafysische elementen was behept (onder andere een vast geloof in het noodlot) had een zwak plekje voor de Beierse koning. Zeker voelde hij zich aan hem verplicht, omdat hij zonder de beroemde, Ludwig overigens slim ontfutselde Kaiserbrief Wilhelm van Pruisen de Duitse keizerskroon niet op het hoofd had kunnen drukken, en hij looft nadrukkelijk het onbureaucratische, ridderlijke en individualistische in de monarch, evenals zijn verhevenheid en waardigheid. Toch vind hij dat in het leven van Lu-Kini 'die malhonetten Scenen, wegen der problematischen Natur des Monarchen überwogen haben'.

Malhonetten Scenen... de scènes die hier volgen zijn, hoewel vaak malhonett, om deze kwaliteit niet uitgezocht, gedocumenteerd door de vele memoires, brieven, dagboeken, biografieën en kranten en aangevuld met de 'verzonnen waarheden' van 'zo had het kunnen zijn' zijn ze gekozen in een poging deze uiterst moeilijk grijpbare koning te vatten in een adequaat beeld. Voorzichtig werden uitgeprepareerd: de geëxalteerde vriendschap met Wagner, die misschien wel het meest pluimstrijkende hoveling om de door Gods genade uit het bos opgepikte gast, de wellustige fantasieën over de almachtige Lodewijken van Frankrijk, de in het moeras van depressies verstrikte broer Otto, de mesalliance met de uitgekiende toneelspeler Kainz en het daarin naar voren tredend wonderlijk stuivertje wisselen van toneel en werkelijkheid, de intrigerende, geheimzinnige dood.

Deze laatste scène is misschien wel de meest onthullende en ontrolt zich met als spil het beruchte 'Gutachten', een medische verklaring van de faculteit te München over de geestestoestand van de koning, gebaseerd op het in het geheim uitvragen van stal- en keukenpersoneel, lakeien en wachtsoldaten en het uitmesten van closet en papierkorf. Het is nog steeds verbijsterend te zien hoe de koning zelf geheel buiten het onderzoek werd gehouden.

Het 'Gutachten' werd opgesteld, Medizinalrat Von Gudden werkte er een lange zware nacht aan en aan het station te München verzamelde zich een commissie, ernstige lieden, de een in feestkledij, de ander in 'Frack und Zylinder'. Diep is de commissie zich bewust van haar ernstige taak, even diep als zij zich verkneukelt over de dramatische en historische rol die ze speelt. Wie de moeite neemt *Die letzten Tage Ludwigs* II van commissielid Dr. Franz Carl Müller te lezen vindt daar de hypocrisie voor het opscheppen. Er wordt diep in de ogen gekeken, lang handen geschud, 'Sie gehen schweren Tagen entgegen, Herr Doktor'...

In de arrestatieklucht die zich daarna voltrekt krijgt de koning nog zijn meest wezenlijke trekken, hij schrompelt ineen en wint aan menselijkheid. Bedoeld of niet bedoeld is dit prachtig geïllustreerd in Syberbergs film 'Ludwig', waar in een flits van twee of drie tellen aan het roezige einde even een dwerg meeloopt, als Ludwig verkleed. Een betrapt tragisch heldje, verdwaald tussen de groten en met wangen nat van tranen.

Wagner

Daar de zomers niet in de residentie werden doorgebracht maar, afgezien van soms een weekje villa Berchtesgaden, in Hohenschwangau, kwam het slot daar voor hem als vanzelf voor altijd in een zomers land te liggen, onder een helblauwe hemel en in een gezegende stilte. Diep beneden in het dal, uit bijna alle vensters te zien, lag het meer, diepgroen, wijd en altijd vriendelijk glanzend, warme geuren dreven door de open vensters en over de terrassen, bloemen en planten waren overal en onder handbereik. Heel vroeger hadden daar de legendarische heren van Schwangau gewoond, een vage plek tot koning Max de juiste plaats toevallig ontdekte tijdens een jacht en zijn Hohenschwangau had gebouwd op de ruïnes van het oude Schwanstein: okergeel en in een wat zwaar uitgevoerde Tudorgotiek.

Ludwig hield van dat buitenslot, het kasteel viel te begrijpen, had een voor- en een achterkant, was gebouwd uit zonwarme stenen en bezat verder ook iets van een goedmoedige gestalte die een oogje in het zeil hield terwijl iedereen aan het spelen was. Veel van die voordelen ontsproten aan het schrijnende verschil met het residentiepaleis in München, dat onoverzichtelijke, pompeuze renaissanceblok, die verzameling koele, grijze gevelgezichten, vergeten kamers, verstofte binnenplaatsen, holle gangen en traphallen. De vleugels veranderden er steeds van richting, zowel van binnen als van buiten, maar achter de hoge ramen lag altijd weer het zo moedeloos makende verre en wijde Odeonplein. Vanachter die hoge ramen keek hij vaak naar het afwisselen van de wacht, als volk toestroomde tussen de Feldherrnhalle en het ruiterstandbeeld, mensen die hij afgunstig beloerde met de toneelkijker die hem de rondschedelige Müncheners naderbracht, de curvenrijke figuren van de massieve vrouwen, de gespierde kuiten en billen van de 'Gebirgler', de 'Spitzhüte', zwarte geestelijken, bruine monniken, lichtblauwe officieren, veel bierwagens en nu en dan een hofequipage. Alles zo dichtbij dat hij er zich over verbaasde dat hij op zijn beurt niet voor hen bestond. Echter verleid en verlokt naar buiten waren er schelle kreten van exercities, stank, lawaai, mout- en roetwalm, opgeschrikte duiven; eindelijk weer binnen waren de holle ruimten dan nog somberder en koud als een praalgraf van Keltische steen. Soms stond hij stil voor een fresco en vouwde de handen om de ogen in een poging alles af te snijden wat opeens te veel was; het mausoleumgrijs, de hoge zuilen, de vale tapijten en stoffige planten. Die zo uitgesneden en opgezogen frescobeelden reisden met hem mee in de zomer, kwamen in Hohenschwangau pas goed tot leven, herkenden de wanden daar met verrukte schokjes en tolden en buitelden door en over elkaar bij het rondwandelen en mijmeren.

De ruimten van Hohenschwangau waren helder en levend, in hen scholen macht en dreiging van rotswanden en besneeuwde toppen, de rillingen van de diepten en de raadselachtigheid van het heimwee naar de verte. Er gebeurde daar ook iets met de tijd, in die bergen, ijl en dromerig werd hij uit elkaar getrokken en kwam soms bijna tot stilstand. Zo werden op Hohenschwangau als bijzondere zomerse attractie op zondag soms leeftijdgenoten uitgenodigd; adellijke zonen, traag, vreemd en wat verveeld. Ze speelden dan soldaatje of processie, Ludwig won altijd of liep voorop, maar op een keer kreeg hij een oorvijg van een graaf, Tony Alco: een naam, een onthutst brein, een brandende wang. Hij zag de jongen nooit weer terug maar de klap bleef, wachtte bij aankomst bij de poort, vervluchtigde daar weer bij het vertrek, maar was daar tussen niet onaangenaam.

Zijn moeder, koningin Marie, zag hij er minder dan in München, zwaargebouwd, huismoederlijk neigde ze tot corpulentie en bestreed dit door lange tochten in de bergen, naar de Säuling of naar de toppen van de Ortler, tochten die ze dan echter weer wat onlogisch uitbreidde en aanvulde met overdadige picknicks.

In tegenstelling tot deze musculeuze en aardse koningin was vader Maximiliaan een verfijnd geleerde, leptosoom, tikje lethargisch en in het geheel geen robuuste Wittelsbacher. Achter zijn kotelettenbaard neigde hij tot een wat elegante zwaarmoedigheid, dat wil zeggen dat hij, wanneer hij zich bespied wist, de vingertoppen peinzend en tegelijk wat hoofdpijnachtig aan de slapen kon leggen. Als hij sprak deed hij dat fluisterend en traag nadenkend, ook wat slissend door enkele ontbrekende ondertanden. Hij kleedde zich als een beambte en de spaarzame haren kamde hij naar voren over slaap en schedel in vettige lokjes. Dit laatste verried de klassieke denker, zijn hoofdpijn, echt of voorgewend, dreef hem vaak in zijn studeerkamer, een bijna geheel verduisterd vertrek waar het zich aanpassend oog langzaam de witte busten op zag doemen van de grote wijzen van het verleden: Socrates, Plato, Cicero, Pericles, Schiller, Schelling, Peter de Grote, Marcus Aurelius. Deze laatste stond niet alleen model voor de haardracht maar ook voor de vorstelijke en fijnzinnige bespiegelingen, samenspraken met het verleden die hij neerlegde in geschriften zoals *Fragen an mein Herz, Selbstbetrachtungen, Annehmlichkeit und Pflicht*. Boven een wat altaarachtig bouwwerkje in zijn kamer hing een schilderij, 'Verklärung eines guten Königs', waarop Maximiliaan als Hubertusridder omhoogzweefde, engelen reikten hem de hand, de wereldheiland wolkte hem tegemoet.

Deze vader in de schemering, gekweld naar hij zei door nerveuze hoofdpijnen, die moeder ver zwoegend in de bergen of gezellig afgezonderd tussen de hofdames aan de picknick zorgden al voor veel ruimte maar daarbij kwam nog het zorgvuldig samengestelde lesrooster dat erop gericht was de omvangrijke leerstof in lessen te geven die zo weinig mogelijk samenvielen met die van broer Otto, zodat ze ook weinig samen konden spelen. En dan was er nog het wonderlijke, nooit duidelijk uitgesproken maar daarom niet minder van hoog tot laag geldende gebod zo weinig als maar mogelijk en welvoegelijk was de buiten de lessen vallende vragen van een antwoord te voorzien. Een marmeren fluisterstem uit het verleden had blijkbaar weinig heil gezien in snelle antwoorden, dat voerde maar af van eigen denkwerkzaamheid en belette de vorstelijke geest zich te ontwikkelen tot waarlijk vorstelijke proporties. Zo heerste er een taboe om de beelden en fresco's in de gangen en zalen, om een Siegfried die, God mocht weten waarom, op de Rhein op zijn horen blies, om de moeder van Karel de Grote in het Würmdal, wachtend op redder en wreker, om Autaris de Longobard en zijn bruid Trudelinde, om voorvaders hoog te paard in Rome met getrokken zwaard, of opeens wondervreemd aan de oevers van de Nijl. Om al dezen, om minnezangers en kruisridders gebood Maximiliaan fluisterend en lispelend een bijna ondraaglijk zwijgen. Maar door de eindeloze niet tegengesproken mogelijkheden schiep het ook een niet onbehaaglijke dromerigheid, en als vanzelf, bij het wandelen, bloemen plukken, vissen en vlinders vangen met de braaf zwijgende La Rosée, een grote aandacht voor kleine, aanraakbare dingen.

In zijn steeds wijder wordende kringen van stilte dook de schildpad op, een kleine frescodraak in een meergroene wereld, heel traag bewegend maar zeer diep denkend met hyperintelligente, fonkelende oogjes. Na eerst de diepte en de hoogte om zich heen te hebben opgezogen staarde hij zo intens naar al die schubben en lijnen op het schild, de rimpels en nageltjes en voelde zo verschrikkelijk veel ruimte om het dier dat hij het opeens schreiend oppakte, tegen de wang hield en kuste. Dicht voor zijn betraande ogen zag hij de pootjes traag zwemmen en het golven en snikken wilde niet meer stoppen terwijl hij het hele naar gras riekende schild met kussen bedekte.

Maar het was gezien, tussen de struiken door, over de bloemen heen ritselde en fluisterde het door de ramen naar binnen en uit trad de vader en riep hem tot zich. Het beeld etste zich voor altijd in zijn brein; de sidderende marmerbleke opvoeders, La Rosée en Frau Meilhaus, de ogen verraderlijk gesloten, opgegaan in louter zenuwen, zijn moeder op de zware gebeeldhouwde stoel naast het tafeltje met de albums, een glanzende zwarte driehoek van taft en satijn met als punt het in de bergen starende, wat wezenloos glimlachende gezicht. Weer was hem de brede worstelaarshals opgevallen en het zware in het midden gescheiden haar. Otto leunde bleekjes met de elleboog op het groene pluche van een stoelleuning. In het midden van het tafereel vader Max, dramatisch veel licht op het krijtwitte voorhoofd. Zijn stem, al hoog begonnen, klom nog steeds hoger maar bleef toch in de verte: 'Knuffelt me daar een emys orbicularis... een prins... en nog wel een uit het huis Wittelsbach... had hem met zijn negen jaren een wat hoger niveau toegedacht...'

De stem rees verder naar hysterische hoogte terwijl de monarch toch nog verrassend een traag zwemmende schildpad vanachter de broekspijpen vandaan toverde. Viezig hield de koning het beest in het diffuse, gefilterde licht van het zwaar gemeubileerde vertrek: 'Een ordinair walgelijk schubgedrocht af te lebberen,' klonk het hard en echoloos, 'in plaats zijn neus eens wat meer in mathesis en botanie te steken, sodomistisch theater onder het oog van subalternen op te voeren. Waarachtig, zoiets schreeuwt toch om pedagogische penitentiën. Tsa!...' De zeegroene schildpad cirkelde razendsnel door de lucht, krakte op de vloer, tokte tegen stoelpoot en plint en siste daarna over het parket naar het verre andere eind van de kamer. Onthutst, maar met het vaste voornemen in een niet meer tot zwijgen te brengen geloei van 'moordenaar! moordenaar!' uit te barsten liep hij met stijve gevoelloze benen en alvast halfgeopende mond naar het verpletterde beest. Het lag met gebarsten buikschild, afgerukte kop en vier bewegingloze pootjes aan de gelakte, bewegingloze voeten van een lakei. Vorzeitiger Hinschied!

In het algemeen keek hij door lakeien heen, maar deze man torende zo onbeweeglijk boven het jammerlijk kadaver uit, dat hij opeens bestond: het lakeiengezicht met iets geprononceerde onderlip stond onbewogen, de ogen keken onaangedaan over alles heen. Hij sloot de mond, draaide zich om en liep de kamer uit. Zijn vader had zich dramatisch afgewend, toonde zijn elegante zwarte rug en kalende kruin, de nog gebalde vuist hield hij niet onsierlijk wat zijwaarts uitgestrekt. Otto staarde witjes naar zijn schoenen met diep over de ogen gedrukt voorhoofd, de koningin glimlachte naar onbekende landschappen.

In de gang herinnerde hij zich de lakei nog het meest: hals, kaaklijn, ogen, een schone man, roerloos en indrukwekkend. Dat was pas vorstelijk, heel wat anders dan de schelle, schuimbekkende en slissende Maximiliaan. In zijn kamer ging hij voor de spiegel staan en bekeek aandachtig zijn gezicht, de grote, zacht omschaduwde donkerblauwe ogen, het tot een klein streepje getrokken zwakke mondje. 'De schildpad is dood,' zei hij koud en afgemeten, de kin schoof daarna iets naar voren, de lippen persten zich wilskrachtig op elkaar, maar steeds meer verloor hij zich in de achter zijn gezicht schemerende beelden: die wat vooruitgeschoven onderlip, de rechte lakeienrug, het blauw-zilveren livrei. De onderkaak schoof weer terug, de mond zakte week en vochtig open.

Het oefenen van de lakeienblik deed zijn belangstelling voor lakeien sterk toenemen, maar de voorname getuige van de vorstelijke woede bleek niet alleen schoon en koninklijk, hij bleek ook zeldzaam, de meeste lakeien slopen eerbiedig rond, kromden al bij het eerste woord de ruggen als voor een zweepslag, kropen schichtig loerend uit het gezicht, te klein, te boers, vierkant, scheef of krombenig. Kwijnend en hooghartig verzocht hij hun verwijdering, hen te vervangen door lange, slanke, buigzame dienaren met rechte harde ruggen, soepele taille, rapide billen. Dat schiep wat verwarring, want er bleek in het geheel geen verband te bestaan tussen het schoon zijn en het als lakei voldoen. In tegendeel, vaak gaven de scheefgegroeiden en krombenigen nog het minst aanleiding tot klagen. Zo beviel zijn favoriet bijvoorbeeld helemaal niet en zou zeker de laan zijn uitgevlogen als zijn fraai bollende borstspieren, krachtig gebeeldhouwde handen en kuiten en de wat misprijzend naar voren geschoven onderlip hem niet onkwetsbaar hadden gemaakt.

De lakeien deden zijn belangstelling voor de statige fresco's weer opleven, vooral voor 'Lohengrins afscheid' in de zwanenzaal, dat hij overigens lange tijd had aangezien voor 'Lohengrins aankomst'. Met zijn tekenleraar Rottmann begon hij zich te oefenen in kostuums, scènes en gestalten uit de wereld van het *Nibelungenlied*, maar vooral in zwaanridders die de tekenmeester zeker zou hebben herkend als de jonge prins wat meer talent zou hebben gehad. Bij tijden overviel hem voor de fresco's een bijna wurgend verlangen om bij het tafereel te behoren, een gevoel dat nog versterkt werd doordat de schilder de Alpsee van Hohenschwangau als achtergrond had gekozen. Terwijl op de muur iedereen weende, het gezicht afwendde of een knuist bij het oog hield, stond de ridder zelf monumentaal op nobele, witte, gespierde benen in zijn schulp en staarde over Elsa heen met halfgeloken ogen naar de burcht waar Ludwig zat.

Aan het meer rondwandelend kon hij de plaats zonder moeite terugvinden en met de voorbeeldige onderlip speelde hij daar afvaart en aankomst van de zwaanridder. Onhandig liet hij zich op de kant helpen, klemde zich angstig vast aan hals, schouders, rug en dijbeen, en al wat zijn handen verzamelden en bij elkaar streelden nam hij verrukt weer mee terug naar het kasteel. Maar daar wist hij niet verder, het was alsof de tijd nu helemaal stilstond door al dat aankomen en afvaren en hij voelde zich diep ongelukkig. Het liefst zat hij maar alleen in de stille zaal, naast zich een bonbonnière waarin op een wit Seidenbouchant een rijke keuze van Ingwerstäbchen, Nougatbömmelchen, Kirschcroquantinen en Milchflusspandanen.

Daar in die stilte overwoog hij vorm en substantie der lakeienfresco's tegen een fond van koningsblauw en zilveren pailletten. Al zuigend en smakkend bekeek hij ze, proefde ze en omarmde het geheel ten slotte, herhaaldelijk maar traag en droevig met mummelende chocolademond. 'Ach, mein lieber, tol-patschiger, honigschleckender Brummbär...'

'Ich kann mich manchmal gar nicht in ihn finden...' Vanuit de muffe bibliotheekkamer in de noordwestelijke vleugel van het Residentiepaleis waar zijn leermeester in Franse conversatie en filosofie na een geeuwend halfuurtje eindelijk was ingedut, liefjes glimlachend over zijn buik naar de Franse leliën op de vloer, dwaalde Ludwig door het immense gebouw. Hij dwaalde erin rond en sprak ermee. Het was niet de eerste maal dat de filosofieles zo eindigde, de even goedwillende als middelmatige professor Steininger, toch al traag en lodderig na het middagmaal, kon beslist niet tegen het hoge witte licht dat door de glazen wand van de wintertuin de kamer binnenviel. Hij vocht manmoedig nog een half uurtje terug in het Frans en streek dan het vaantje (il se rendait vaincu).

Met langzame pas, wat gebogen, de handen op de rug, liep Ludwig door het paleis, dat nergens zo licht was als de kamer waaruit hij was ontsnapt; dat maakte hem als vanzelf somber, hij wist dat van tevoren maar vond het niet onbehaaglijk. Zoals er ook treurmársen bestaan behoorde hij tot de melancholici die er niet echt ongelukkig onder zijn. Hij wandelde en wachtte op de zinnen die zich ongedwongen en passend bij zijn stemming zouden aandienen. 'Ich kann mich manchmal gar nicht in ihn finden...' met deze woorden beproefde hij de eindeloze zalen en hoven: de Herculeszaal, de kamers aan de straatkant, de wat griezelige vertrekken van koning Max waar hij op de toetsen van een piano een fijne dameshand aantrof van was, met gele dode vingers. In een doodse stilte bekeek hij de donkere koperen plaatjes op de speeldozen om te zien welke melodieën erin waren opgesloten: Carnaval in Venedig, les Huguenots, en het zwaarmoedige volkslied 'Es ist bestimmt in Gottes Rat...' In de Zwarte Zaal stond hij lang stil en liet de blik vrij dwalen over het donkere hout van plafond en wanden, vergulde lijsten, glanzende hellebaarden en heraldische tekens.

Een geduchte ervaring blijkbaar, want in de kleine wintertuin daarna deed Wallenstein hem bijna in tranen uitbarsten en hij verbaasde zich erover hoe hetzelfde steeds weer anders was.

Veel in het paleis bleek onaanspreekbaar, dof en klankloos, de stem sloop dan weg langs zuilen en over tapijten als een getrapte stalknecht. 'Weg! ellendige domestieken,' probeerde Ludwig een snijdende heerserstem, na eerst zorgvuldig in het rond te hebben gespeurd naar eventuele bediendengestalten, 'terug in de duistere vertrekken voor jullie vettig vingt-et-un!' Een krachteloos, dun geluid, geen echo kon eraf.

Maar in de audiëntiezaal, een zo voor de hand liggende plaats dat hij er wat langer rondprevelde, vond hij toch nog een klankbodem. Het gezicht tegen de muur, vlak naast een nis waarin een boogvenster met boheems glas ultramarijn, bruin en granaatrood licht mengde, won zijn stem opeens aan diepte en klank. Verrast door het mannelijk timbre wreef hij zich opgetogen de huid van gezicht en hals en maakte zo nog wat geur vrij van de bij het ochtendbad rijkelijk gebruikte Eau de Bretagne. Door de muur staarde hij verdroomd naar de weelderige baroksculpturen die hoopvol geurend opdoken tegen een achtergrond van fonteingepinkel maar weer weerstandsloos ondergingen tussen groenbemoste, grijnzende saters en kobolden, bestraffende klompen met hoge jukbeenderen, zwarte oogspleten, steenharde spierkabels, bijtmonden en knoken. 'Je bent mooi,' fluisterde hij hardnekkig met deze warme resonerende stem, het voorhoofd zacht wiegend tegen de wand, 'schoon als een ridder, je klare lijf zo afgerond en gepolijst. Lulu...' Teder en smekend klonk de stem die hem doortrilde tot in de verste hoeken.

'Bij Jupiter,' klonk het opeens scherp achter hem, 'daar staat ie weer... verloren en geramponeerd. Gekweld zo te zien door alle imponderabiliën van dit ondermaanse... Ach goden, wat hebben jullie toch met hem uitgehaald?'

Geschrokken tot in het gebeente, zijn ogen met wijde pupillen draaide Ludwig zich om en drukte zich tegen de muur, onhandig, schuldig. In het midden van de zaal stond koning Max, als altijd in het onverzoenlijke geleerden- en beambtenzwart, een witte hand rustte op het glanzende blad van een tafel. Schuin achter hem stond de gezette Kabinetssecretaris Pfistermeister, de voeten tegen elkaar, wat hellend over de onder de rechterarm geklemde map waarin nijpende staatszaken over Wenen, Praag, Berlijn. Zijn linkerarm hing loodrecht, hoewel zachtjes bungelend omlaag en sprak van een volledig opgegaan zijn van de eigen wil in dienstbaarheid.

'Wat viel daar allemaal te zwetsen?... mijn veel geliefde filius?...' klonk het groot en hol als de zaal zelf.

'Theater,' hakkelde Ludwig, een hand op het hart drukkend maar hij herstelde zich snel door de serviele houding van Pfistermeister. Zijn rug rechtte zich, zijn ogen loken alweer wat laatdunkend, de lakei in hem kwam langzaam overeind.

'Theater hoe?... Theater wat?...'

Durch unsre Mitte ging er stillen Geists
Sich selber die Gesellschaft, nicht die Lust,
Die kindische, der Knaben zog ihn an,

citeerde Ludwig met nog wat onzekere bariton. Koning Maximiliaan II, koning van Beieren wenkte geërgerd af, voelde de aanwezigheid van de pientere Pfistermeister hinderlijk in de rug, bekeek om zo te zeggen zijn zoon met diens ogen; een slap geheel, veel te hoge benen eigenlijk, ook vreemd breed in de heupen als je hem eens goed op de korrel nam. 'Kijk hem daar staan,' dacht de koning, 'dat handje, die mond als een mossel... Theater? Waarachtig die houding kwam regelrecht van de planken. Eerst Otto, die al maar cirkels om zich heen trok in het zand en verder zweeg, en dan deze loot die stond te babbelen met een muur en een kunstmaan in zijn slaapkamer nodig had om te kunnen knorren. Dat was beslist het zware bloed van Marie, haar ouders waren neef en nicht, haar grootmoeders zusters, de ene was weliswaar een gravin van Hessen

24

Homburg maar de ander zag toch maar spoken en daar moest 's nachts bij gewaakt worden. De grootouders van haar moeder waren ook al neef en nicht, het kon niet op, een broeierige stamstruik die Hohenzollerns. Zelfs "der alte Fritz" met zijn gruwelijke lik- en slikzucht, "das Lama von Potsdam" zoals Voltaire hem... daar had Lu natuurlijk die snoepzucht van. "De oude Frederik heeft zijn tong meer gebruikt dan zijn verstand..." En dan was er ook nog die zuster van zijn vader die een glazen piano had ingeslikt, om nog maar niet te spreken van zijn eigen nerveuze hoofdpijnen... mein Gott, rette die Dynastie!'

Allemaal schichtige, besmuikte gedachten, ten overvloede begeleid door de voor zijn leven citerende Ludwig: rollende strofen, een trillende hand naar de vloer, het blinkend oog naar de zoldering.

Und der geheimnisvollen Brust entfuhr,
Sinnvoll und leuchtend, ein Gedankenstrahl,
Dass wis uns staunend ansahn, nicht recht wissend,
Ob Wahnsinn, ob ein Gott aus ihm gesprochen.

God? waanzin? koning Max voelde de scheuten alweer in zijn hoofd; daarom, maar ook om de zwijgende Pfistermeister een lesje te leren besloot hij niet te exploderen maar te geloven in zijn kunstzinnige zoon. Hij wreef zich voorzichtig over zijn schedel: 'Ja, ja... het pessimisme is en vogue... heel aimabele dictie, overigens... ritme en zo...' Hij draaide zich abrupt om, hierin nauwgezet gevolgd door Kabinetssecretaris Pfistermeister. Deze volgde zelfs het halve slagje weer terug dat koning Max deed, die daarbij de vingertoppen weer aan de gekwelde slapen legde: 'Ach ja... arrière pensée... daar gaat een opera volgende week in het Hoftheater, *Lohengrin* van een zekere heer Wagner of Wogner. Schnorr zingt, die man weegt drie centenaren... moesten we de hele familie maar weer eens aan wagen. Moet een heel brouhaha zijn, bijna een zaak van leven en dood zo te horen. Nou ja, dan: Helm ab zum letzten Gebet.'

Ludwig strekte beide lange armen uit naar de spreker, het hoofd schuin en verzaligd, een zware lok viel over het voorhoofd. 'God moge het u lonen, Majesteit,' riep hij schril en stortte zich naar voren. Hij greep de hand van de onthutste Beierse vorst en overdekte die met kussen: 'Wat heb u fraaie handen, zo zacht... zo vaderlijk...'

Geschrokken trok de koning zijn hand terug en botste terugdeinzend tegen de zeer pientere Pfistermeister die serviel achteruitsprong. Verbaasd keek koning Max naar zijn half geknielde zoon en zei hoofdschuddend: 'Nondeku, alleen al bij het woord theater verweken zijn botten tot gelei.' Hij draaide zich opnieuw om en beende bezorgd de zaal uit. Ludwig, nog half gebukt, staarde het tweetal na, een hand nog uitgestrekt: 'Lohengrin,' zei hij schor, 'Lohengrin, ik heb u lief.'

Het was al schemerig toen de stoet het paleis verliet, in de straten hing een fijne nevel die zich nu en dan verdichtte tot een regensluier. Ludwig staarde steeds weer opnieuw lang in de vele lichten, waardoor hij de juichende en zwaaiende mensen nauwelijks zag, en dan omhoog in een hemel die hij, zo diepzwart na al dat licht benijdde om zijn diepte en mensenleegte. Zo groette hij in het niets, onwennig neigend en wiegend met het bovenlichaam, met een trage mechanische arm, diep gedoken in zijn crème-grijze mantel, het gezicht bijna geheel overschaduwd door de blauwe jagershoed met de lange witte veren.

Ze zaten gevieren in hetzelfde rijtuig: grootvader Ludwig, ijdel in gala-uniform, uitbundig besnord, regelmatig met de gehandschoende hand op het dijbeen kloppend en regelmatig groetend bij iedere zoveelste klap; koning Maximiliaan en koningin Marie hadden beide dezelfde glimlach gekozen. De hoera's golfden krachtig om de rijtuigen, ertussendoor klonk het kletteren van de hoeven, het gesnuif der paarden en het zadelkraken van de begeleidende ruiters.

Niemand sprak een woord, pas voor het operagebouw, waar hij als eerste uitstapte, strekte grootvader Ludwig zich de stijve botten en zei, de bevlagde gevel afloerend met een zekere berusting: 'Nun... bringen wir es hinter uns.'

Na het roezemoezende opstaan van de zaal, de paukenroffels, de fanfares en de drie hoera's doofden de lichten in de overdadig omkrulde koninklijke loge en onttrok ze zich grotendeels aan de koekeloerende zaal. Voor altijd zou hij zich de flonkerende, zacht van onderen verlichte toverwand herinneren van het toneelgordijn, het schemerduister van de lijfwarme zaal waarin de kale schedels bleek opdoemden, en de vele lorgnons vonkend en schitterend op de loge werden gericht. Zijn eigen toneelkijker vertelde hem over de tekenen van de Heilige Graal, de duifjes en schaaltjes die ter ere van de opera geborduurd waren op de rijke japonnen of als sieraad gedragen werden aan hoofd en boezem, en verder ook veel over de talkbleke Ludwig Schnorr von Carolsfeld, een gebergte van vet met een stem mild als een wondzalf. Dun en nauwelijks zichtbaar trok de muziek eerst een fijn zilveren spoor door de zaal, hij volgde de lijnen, lichaamsdelen en stemmen die volgden nauwgezet, hevig opschrikkend bij een al te blafferige hoest maar allengs steeds meer verloren. Vreugde, treurnis, angst en haat stroomden door hem heen, bot, bloed en spieren willoos meevoerend in een ruimte vol schemerende, zich bollende en buigende toonwanden. Langzaam als draaiend en zoekend over een wijd landschap zwol de muziek aan, zilverkleurig, talkwit, brokaat waarna plotseling alle momenten zich met elkaar versmolten in een geweld dat nog het meest overeenkwam met een grote schrik waarin velden vol mensen met opgestoken armen en wijd opengesperde ogen en monden.

OntreddERd zat hij op zijn stoel en staarde naar de golvingen binnen zijn schedel, buik en borst en hij wist dat wat hij zijn ziel placht te noemen door de muziek was ontmaskerd als een weke lijfelijke achtergrond, die toch de alles verbindende taal sprak van de eeuwigheid. De zaal verdween, over bleven glanzende notenkoppen, schemerende cocons, over bleef het toneel, een intieme lichaamsholte waarin gebarende gestalten en gewaden in een hiërarchie van licht en gloed. Scheef hing hij in zijn stoel, de mond opengezakt, zacht kreunend, nu en dan schuddend als in pijn en met plotselinge gebaren van vertwijfeling op de meest onverwachte momenten.

Het applaus schuurde over zijn hersens, zijn hart sidderde, in hem doofde het licht. Koningin Marie (ich lese nie ein Buch) had zich in de pauze verontschuldigd, grootvader Ludwig, overigens half doof was daarvoor al verdwenen (monotones Gebrumse... ich habe die Ehre) zodat alleen nog koning Maximiliaan naar voren trad en glimlachend dankte voor bravo en hoera. 'Ludwig,' riep hij opzij, 'rijs op! Verhef je, groet de mensen want ze houden van je.' Maar Ludwig schudde het hoofd en bleef zitten: afgelopen, afgrond, nacht...

'Lulu, wees niet bokkig,' siste Maximiliaan, maar Ludwig liet hem alleen applaudiseren en buigen en glimlachen. Wat later zag de nijdige koning dat de wangen van zijn zoon nat waren van tranen. 'Ja, ja,' zei hij verbaasd maar toch wat vertederd, ''t is en blijft een vexatie, daar is nu eenmaal niets aan te doen en steek zulks op zak. Kom...'

'Ich will sie nicht sehen,' zei Ludwig bleek alsof hij ziek was, 'ich lieb sie nicht, die Leute.'

Een zwijgende mensenzee, rijen sombere hoedafnemers, het zware grommen en bommen van de klokken in de lucht, verder dof tromgeroffel waarin verweven het heldere klakkeren van paardehoeven.

Ludwig stelde zich zijn met formaline opgespoten vader voor, zacht schuddend op weg naar de Theatinerkirche, het spitse, fijnproevende mondje voor altijd gesloten over de slechte tanden. Vati... heim in Gottesfrieden. Voor de koets uit liep de Honderdgarde gevolgd door de Georgridders, een indrukwekkend gezicht, vlak naast de koets de spookachtige Gugelmannen met hun zwarte Kaputzen en gekruiste kaarsen, een naargeestige broederschap dat al eeuwen afgunstig het voorrecht bewaakte de Wittelsbachers naar hun graf te helpen.

Ludwig, langer dan anders, in het uniform van overste van zijn infanterieregiment, slank, de lange mantel wiegend op de maat van de treurende trage pas, trok meer aandacht dan de lijkkoets en zijn begeleiders. Eerbied, ontzag en bewondering gonsde en roezemoesde in de voorste rijen om zijn wonderschoon verdriet, het straalde hem bijna voelbaar toe vanuit de opeengeperste menigte. Een frêle knaap, nachtbleek, een koning genobeld en vergeestelijkt door een nationaal verdriet. Een hele troost al zo direct achter de lijkkist en een zoete belofte, o zeker, want vast geworteld in al die ontblote hoofden lag het even diepe als vage besef dat wat zo schoon was nooit slecht kon zijn.

Bijna ruisend namen de randen de hoed af, onderwijl naar voren golvend in een opwelling van genegenheid voor dood en schoonheid, maar al direct moest de stap weer worden teruggenomen voor de begeleidende chevau-légers, staalgroene ruiters, de zwarte rouwsluier golvend en kronkelend achter aan de flonkerende helmen die hun paarden lieten rukken, steigeren en draaien om de weg vrij te houden. Achttienduizend man militair en burgerwacht, beambten van hoog tot laag, professoren, scholen, de voltallige geestelijkheid, alle middeleeuwse broeders, een eindeloze stoet treurnis die bijna de hele stad nodig had om in volgorde bij de kerk aan te komen.

Achter de koets groeide Ludwig niet alleen uit tot een waarlijk vorst maar werd ook tot wat men in hem wilde zien, de drager van een teer geheim. Groot gevoel voor theater had hem de wens doen uiten vlak voor het sterven van zijn vader met hem alleen gelaten te worden. Eerbiedig waren allen het vertrek uitgeslopen, hem achterlatend in een plotseling gruwelijke stilte aan het bed. Wat voorovergebogen, de handen steunend op de knieën had hij het stervende gezicht bestudeerd van koning Max, een rood, gezwollen en opgeblazen gezicht, dat onderging in wondroos.

Naar het kleine, rode en kalende hoofd kijkend had hij het opeens onwaarschijnlijk gevonden dat hogere machten zich met dat hoofd hadden bemoeid. Naar men zei was de gevreesde gravin Orlamonde (la dame blanche) uit de lijst gestapt tijdens het laatste gekostumeerde hofbal, had rondgewalst, was voor de koning tot stilstand gekomen en daarna plotseling verdwenen, een zeker teken van een naderende dood. Niet iets waar een geleerd en verlicht monarch in had willen geloven maar... daar was het hoofd en het stierf: pff... pff... pff... Diep in gedachten (ondanks alle klassieken met een hoofd vol ingewikkelde Sleeswijk-Holsteinzorgen) blies koning Maximiliaan belletjes door een hoekje van zijn verdroogde en opeengeplakte lippen en liet in het midden of hij niet meer kon of niet meer wilde spreken. Ludwig luisterde een tijdje doezelig naar het rustgevende geblaas, zei toen: 'Een betoverde prins was het... die schildpad,' en verliet daarna het vertrek.

Iedereen was diep ontroerd geweest toen hij uittrad, wist niet beter of de edelste afspraken waren gemaakt, heilige beloften afgelegd, vergeving geschonken over en weer. Ludwig glimlachte droef tegen de wereld en iedereen wist genoeg. Hij wist dat hij indruk maakte, veel vrouwen dweepten met hem en steeds weer moest de paleiswacht moeders en dochters uit de gangen verwijderen die vastbesloten waren verdwaald op zoek naar hun prince charming. Vaak heel eenvoudig volkje. 'Wat doet u hier?' – 'Oa... der Kini hat so a schön's G'schau...'

Naast hem liep Otto, witjes als altijd, een hoofd kleiner, met moeite volgde hij de grote passen van zijn broer en verviel steeds weer in een wat kinderlijke, ongelijke dribbelpas. Nu en dan drupte er een traan naar de punt van zijn neus waar hij hem nerveus en geschrokken snel wegveegde, maar Ludwig wist dat zijn ontroering voornamelijk de overdadige en ronkende uniformen gold in de stoet vlak om hem heen, zoals dat van grootvader Carl, die, om zijn Napoleontisch verleden door de prinsen 'Siebenstiefel von Austerlitz' gedoopt, ondanks zijn zeventig winters zijn echte bijnaam 'le beau prince de Bavière' nog met ere droeg in zijn rood-gouden uniform, majestueuze zwarte cape en golvende witte slaaplokken.

Uit de schommelende en wiegende stap steeg een lichte euforie omhoog, het was ook meer een stap voor een waterpartij, een Chinese tuin, een behaaglijke kuier vol brood voor de eendjes. Binnen dat gevoel van hummende behaaglijkheid groeide het besef van verworven vrijheid, op de bronzen klank van de klokken ontrolde zich dat gevoel in zaal na zaal en hal na hal. Het meer van Hohenschwangau spiegelde veelbelovend als nooit tevoren, spiegelde tot in zijn diepste diepte het kasteel, slechts nu en dan door een ragfijne zilveren rimpeling doorstreept, en hij had moeite bij dat beeld zijn pas niet kwiek te versnellen. Een eigen zwanenburcht...

Terwijl hij de trappen van de kerk beklom zochten zijn ogen Pfistermeister, onwillekeurig speurend naar de meest devote, stijlvolle, stemmig geklede druil. Een toontje neuriede hardnekkig diep in zijn borst: 'Mijn lieber Schwan...' Tijdens de mis viel hem, vermoedelijk door de bloedrode ring van aartsbisschop Von Scherr, een robijn in als meest passend geschenk, een ring met een robijn. De boodschap die hij daar aan toe zou voegen tekende zich, geholpen door de gedragen tonen en echo's van de mis, steeds duidelijker af. Hij verheugde zich zeer op dat eerste vorstelijke geschenk en zo ging de lange, met zorg tegemoet geziene uitvaartdienst toch nog vrij snel voorbij, zo snel zelfs dat het opviel, aangenaam verraste, met dankbaarheid vervulde. Daarom voegde hij op het laatste moment nog een etui met goudstukken toe. 'So wie dieser Rubin glühe, so glühe König Ludwig vor Verlangen den Wort und Tondichter der Lohengrin zu sehen,' dat was de boodschap die Pfistermeister moest overbrengen.

'Der zur Zeit noch als Kabinettsvorstand fungierende Hofrath von Pfistermeister hat heute eine Reise nach Wien angetreten,' zo stond het in het *Augsburger Anzeigeblatt*. De zwaarte van de aankondiging leek te wijzen op een politieke missie of, o Goden! misschien wel een bruid. Een gewoon keutel- en herstelreisje na alle ellende werd ook wel overwogen maar dat was het allemaal niet, het was het gloeiend verlangen van Ludwig de componist van de *Lohengrin* te leren kennen: 'Ik wil Richard Wagner leren kennen en ik zal hem onder apanages bedelven.' Koninklijk woord, dat echter bitterheid achterliet in het hart van de Hofrath die wist dat het etui behalve het portret van de koning het jaarsalaris bevatte van een Kabinetssecretaris met acht dienstjaren. Maar Franz Xaver Pfistermeister, chef van de kabinetsraad liet zijn kruin zien, de linkerarm bungelde tot aan de vingertoppen onderworpen zachtjes heen en weer, en hij vertrok, 16 april 1864, op zoek naar die vervloekte compositeur genaamd Wagner, ergens in Europa maar, opgejaagd door schuldeisers, voortdurend gedwongen 'Zelt und Stange umzustecken', en daardoor onwaardig moeilijk te vinden.

Nog wat licht in het hoofd na zijn diepe slaap in de bergen had Richard Wagner het ontbijt in de blauwe erker laten serveren, de intieme blauwe erker waar weliswaar een voor het ochtendlijk oog wat scherp en diffuus licht scheen maar van waaruit hij een geestverheffend uitzicht had op het meer. De bedienden had hij met een korzelig handgebaar weggestuurd zodat hij zich niet langer bekeken voelde en zijn naslaapje ongestoord nog wat kon onderhouden.

Terwijl zijn gevoelige vingers de blauwe, nog koele zitting aftastten, zo vaak bedrukt door het koninklijk achterwerk, dwaalde zijn blik wat suffig over de verre huisjes van Schwangau, die tintelden in de ochtendzon, en over de olijfgroen beboste heuvels aan de overkant die tegen de rand van het meer bijna zwart werden. Wat zijn vingers verzamelden aan indrukken vermengde zich met het landschap en namen iets van de werkelijkheid ervan terug: gebobbelde Franse leliën doemden op uit het meer, scherpe zilveren kroontjes parelden in het licht boven de sneeuwtoppen. Behaaglijk en veraf plukten zijn vingers aan de weelde van bloemblad en stengel, maar met de zwanen klopte iets niet, zodat hij ten slotte toch verstrooid naar beneden blikte. Te veel bek, te scherp, bijna roofvogelachtig, en in plaats van majestueus voort te glijden onder de koninklijke aars stapte de vogel snibbig voort op langnagelige poten. Licht geërgerd herinnerde hij zich die bek, van de vogel die boven Ludwigs bed in het licht van de kunstmaan de christenheld Rinaldo rondvoerde in Armida's tovertuin. Zwanenonrust, zwanendreiging, een heel slot bestookt en doorspookt met zwanen, ieder moment verrassend opduikend wanneer de aandacht maar even verslapte: opeens dreven ze door het behang, verstijfden in porselein, slingerden zich uit een wandversiering, zwollen uit kroonluchters, staarden als vignet uit de holte van een lepel of gluurden uit de plooien van geborduurde gordijnen. Het hele kasteel leek wel een gigantische gondel, chaotisch in alle richtingen voortgetrokken door talloze zwanen en zwaantjes en met de 's ochtends blijkbaar zo ijverige Ludwig als chevalier au cygne.

Wagner zuchtte, zijn scherp Shylockprofiel, anders zo levend van werklust en vitaliteit, nog steeds wat afgevlakt en geplooid door de zware slaap, het ochtendlicht wit en zilverig op het grijzende haar. Hij wreef zich de handen, schudde een paar keer geeuwend de droomspinsels van zich af en bekeek daarna tevreden de rijk voorziene tafel: 'Nun wollen wir aber pampen.' Genietend liet hij van een glazen lepel marmelade druppen op een snee korstloos zoet brood en staarde al mummelend over de tafel naar de verdere delicatessen. Toast, Allgäuer Grasbutterkügelchen, Wabenhonig, Brombeergelee voerden hem ten slotte naar de suikerpot, waarop in zwaar zilveren reliëf wat rolronde amourettes. Tegen de suiker leunde een krijtwitte enveloppe, gesloten met lakzegel en overkrast met het ijdele, ongeremde handschrift van Ludwig. 'Himmlischer Freund!!' Schalks, half achter de suikerpot verscholen, een roze pakje, een zilverglanzend lusje in het ochtendlicht.

Wagner bewoog de brief zacht heen en weer onder de grote neus, gaf zich even diep ademend en met gesloten ogen over aan de geur van vorstengunst en viooltjes, klingelde daarna ongeduldig, bestelde schrijfgereedschap en verbrak het zegel.

'Dierbare vriend! Hierbij zend ik u een zakhorloge versierd met zwaan, ter herinnering aan de heerlijke dagen die mij door uw aanwezigheid onvergetelijk zullen blijven; draag dit kleinood, ik bid u, bijwijlen denkend aan de vriend die u liefheeft met alle kracht der ziel, liefheeft tot in den dood. Als u het donkerblauwe dekseltje van het horloge opent, dan zult u een miniatuur zien van de ridder Lohengrin in de gondel, want Lohengrin was het die in mijn hart de eerste kiem legde van geestdrift, van een gloedvolle liefde voor u, die kroon die zich steeds meer ontplooide in mijn ziel. Manchetknoopjes met zwaantjes gaan hierbij. Eeuwig uw trouwe Ludwig.'

Kneuterend krom schonk Wagner zich de koffie in, de stimulerende geur krulde in zijn wijd opengesperde neusgaten. Inspiratie zoekend snuffelde hij aan zijn kopje, knipperde schuin omhoog tegen het lichte venster, de pengrijpende hand scandeerde al wat maten in de lucht, en daarna begon hij met grote letters, sierlijk krullend en krassend: 'Die Sonne van Hohenschwangau...' Een prachtige tekst, ondanks dat er toch weer een zwaan in opdook, maar eronder grijnsde de gruwelijke leegte van het witte papier. Het krijgen van invallen was nooit zijn sterkste punt geweest en dit keer was de tijd nog kort ook. De leegte vulde zich echter spoedig op hoewel niet met de zozeer begeerde inspiratie maar met het vervloekte en gehate beeld van een andere enveloppe, even plotseling en verrassend opgedoken, maar dan onder de nachtlamp van zijn slaapvertrek. In de leegte van het papier onder zijn veelbelovende en krullende aanvang slopen vloerenveegsters, haardenverzorgsters, stalknechten, als lakeien vermomde beambten hummend en handenwrijvend de slaapkamer in, grijnzend met roofvogelbekken, het smeergeld rinkelend in hun zakken, en Wagner hoorde hun ademhaling luid en snuivend uit zijn eigen neusgaten stromen. Wonne... Sonne... bricht... nicht. 'Doch ewig strahlt, was aus dem Inn'ren bricht...' Aan dat Hohen-

34

schwangau zat ie vast door die titel, 'Lacht heut ob Hohen-schwangau hell die Sonne, Sonne, Sonne, Sonne, Wonne...' Een kranteknipsel had erin gezeten, een knipsel uit de *Volksbote*, van 11 november moest dat zijn al stond er ook geen datum op: 'Gestern traf Wagner in Schwangau ein, Pfistermeister hat sich auf einige Tage auf die Jagd in der nächsten Umgebung begeben. Er soll von Bewilligung der immer gesteigerten Geld-forderung Wagners abgeraten haben...'

De rand van het papiertje was rustig en keurig geknipt wat aan de laconiekheid en griezeligheid nog het zijne toevoegde.

'Ein Wunder nun! aus unsrer Seelen Wonne.' 'Bricht' moest op de een of andere manier naar 'Licht'... De Säuling was goed te zien in de heldere ochtend, benijdenswaardig stil en hoog en zuiver, een wereld van de geest, de met rust gelaten geest. Die grappenmaker was ook al in München bezig geweest, toen een advertentie, omgeven door een onheilspellende reep leeg pa-pier, was verschenen in de *Volksbote*. 'Seit einigen Tagen weilt Richard Wagner in der Stadt', verder niets, punt, uit! Zo was er altijd wel dreiging, Pfistermeister joeg wel in de bergen maar zijn prooi was die barricadenman uit Dresden die hij niet kon luchten of zien. En een stapje hoger iemand van dezelfde krul, minister-president Von der Pfordten, Ludwig Freiherr von... die al evenmin in staat was in hem iets anders te zien dan die oproerkraaier van toen. Pfi en Pfo... Mime en Fafner, sombere duisternis van filisterziel en praktische slimheid. O, hij treiter-de terug met zijn pompeuze huis aan de Briennerstrasse, zijn hofequipage, zijn vele hooghartige bustes in de winkels, de plannen voor het ongetwijfeld miljoenen verslindende Fest-spielhaus, zijn hautaine zangschool. Maar zijn vijanden waren groot; daar was de kerk met zijn zorg voor het zieleheil van de koning: 'Wagner bederft de koning met die godsverachter Feu-erbach en spreekt Zijne Majesteit in het openbaar met du aan.' De muziekprofessoren mochten er ook zijn: 'Hij veracht de klassieken en verheerlijkt alleen zichzelf', en dan de woede der aristocraten omdat hun protesten door de koning totaal werden genegeerd. Overal wat, boosheid en gif van de beeldhouwers over de mogelijke officiële aanstelling van een 'Dresdener steenhakker, hoe was de naam ook weer?... Hähnel?... nooit van gehoord'. En alsof dat allemaal nog niet genoeg was kwamen daar de stommiteiten van zijn eigen trawanten nog bij: de hooghartig kafferende Von Bülow die ook werkelijk geen verschil zag tussen Müncheners en Schweinehunde, of zijn kameraad Nohl, ook uit Dresden, waar hij zich altijd normaal had gedragen, maar die in München opeens paranormaal begaafd was geworden, kyrieleis!!... en Ludwig had aangeboden koning Maximiliaan weer sprekend te laten opdraven. Paranormaal en in ongenade was hij wel snel naar Zwitserland afgevoerd, maar toch... Der Stern des Tages scheint in wechselvolles Licht...

Zijn manier van spreken, zijn scherpe Saksersstem zei men, met een tong gezwollen van de leugens, zou de koning hoofdpijn bezorgen, zijn muziek trouwens ook, en dan was er zijn profiel dat al als Lola Montez in karikatuur verscheen, de naam Lolus kwam er al aardig in... En verder wemelde het in München opeens van de schuldeisers die men had ingefluisterd dat Herr Kapellmeister vrijelijk over de Kabinetskassa kon beschikken.

'Mein geliebter Lohengrin.

Die Sonne von Hohenschwangau

Der Stern des Tages scheint in wechselvolles Licht,
Doch ewig strahlt was aus dem Inn'ren bricht.
Ein Wunder nun! Aus unserer Seelen Wonne
Lacht heut' ob Hohenschwangau hell die Sonne.

Aus treuestem Herzen unter süssen Thränen, Ewig bis über das Grab liebend. Richard Wagner.'

Scheisspoem! Hij sloot de enveloppe, schelde en liet de brief aan de koning brengen, die zich in de ochtenduren zuchtend door de binnengekomen stukken heen werkte; gedrang van koetsen aan de poort, veel bodes uit München, mappen vol zorgwekkende staatspapieren met zegels. Terwijl hij de blauw zijden glanzende rug nastaarde en de omhooggehouden brief die veel licht ving, klonk buiten in de tuin de heldere 'Morgengroet' der hoboïsten, een wat joelerig groepje muzikanten, dat als een hommage aan de componist ieder uur een andere toren afwerkte met een Morgengroet, Middaggroet of Graalgroet alsof Ludwig, plotseling scherp van oor en muzikaal geworden, ontdekt had hoe zelfs zijn meest doorwerkte composities uit fanfares waren opgebouwd. Deze overweging deed hem zich vingertrommelend en hummend verdiepen in de inleiding tot de derde scène, derde akte van de *Lohengrin* zodat hij opeens verrast de lakei weer op zich toe zag wandelen, de brief weer in het volle licht alsof hij zich bij de deur had bedacht en was omgedraaid.

'Theurer einziger Freund. Dank für den hehren poetischen Gruss dieses Morgens. Nun müssen die Menschen sehen welche, alles besiegende Kraft in unserem heiligen Liebesbunde lebt.

Nun zur That! ihr Treuer Ludwig.'

Wagner zette de brief rechtop tegen een roomkannetje zodat hij de tekst goed kon herlezen, liet met zorg een flinke kwak Brombeergelee op een stuk cake zakken en liet al likkend en proevend zijn blik behaaglijk over de vorstelijke missive dwalen. Of de edele vorst al tijd had gevonden zijn in handschrift aangeboden *Über Staat und Religion* te lezen... Ver weg voerden zijn gedachten hem, want hij schrok buiten proportie toen de deuren werden opengeworpen en een neutrale lakeienstem bazuinde: 'De Koning!'

Het prachtige novemberweer liet toe dat de deuren naar de tuin wijd openstonden, zodat de lage middagzon ver naar binnen scheen en de tuinkamer door de gloed op het roze tapijt en de rode zijde van de meubelen in een feestelijk lampionlicht zette. Maar zo heel feestelijk voelde Wagner zich niet: overvallen door de koning aan zijn laat ontbijt en daardoor al licht geërgerd, was hij verder ook zonder zijn geliefde baret wat hem naar hij voorvoelde zou hinderen bij het pianospel waarbij de koning zoals altijd dicht achter hem zou staan, over hem heen gebogen zodat hij de koninklijke adem in nek en oorschelp kon voelen en deze niet alleen een vrij uitzicht zou hebben op toetsen en artiestenhanden maar ook op de roze doorschemerende kruin van de componist. Subtiliteiten die toch zwaar wogen. Daarom had hij op vriendelijke maar dwingende wijze zit en akoestische voordelen van de bank prijzend, met licht smekende druk, lokkende en klokkende tonen de koning ertoe bewogen zich bij het venster neer te laten, waar hij hem wat nukkig en pruilend achterliet op het glanzende damast.

Snel naar het klavier gesprongen liet hij een tremolando in de bassen veelbelovend aanzwellen en dacht naar zijn flakkerende hand kijkend: 'Daar had ie niet op gerekend met zijn fluwelen kologen en ingeslikte tong, daar gaan we,' en met de wijsvinger van de rechterhand liet hij de tweemaal gestreepte g witheet opspringen in het roze boudoir, waarna hij de schrik stormachtig omrammelde met allerlei kwinten- en kwartengangen.

Het hoofd wat achterover, de kruin buiten de bliklijn van de koning, in vervoering wiegend met half gesloten ogen, schiep hij nu en dan wat ruimte voor een in extase neuriënd heia hop!... hopja ho!... Maar hij wist niet goed waarheen: te veel zon, weer te veel parfum zoals gewoonlijk en dan dat hongerige, hoorbare gedraai daar op die zijden bank, het maakte alles zo opdringerig lijfelijk. Met inspanning vermande hij zich: 'Richard, alter Knabe, vooruit, je hebt een ambt... al is het er ook eentje zonder zekerheden.'

'O, goddelijke, goddelijke wendingen,' zuchtte Ludwig ergens rechts van de piano, 'maar nu graag, zeer zacht, de "Gralserzählung"...'

Door een toevallig pianissimo had Wagner, hoezeer ook mee-gevoerd naar hogere regionen, de woorden opgevangen en was op hetzelfde moment bijzonder ontstemd. Door zijn geest scho-ten toornige, door de muziek ondersteunde ritmische kreten zoals: 'Diamantenkakker, wufte onbenul... Gralserzählung? goddelijke wendingen?' Die moesten ze eens flink langs de klo-ten strijken... als hij terugdacht aan de omstandigheden waar-in die wendingen waren ontstaan...!

Zijn woede was vermoedelijk een plotseling doorbrekende optelsom: een onderbroken ontbijt, een rondcirkelende Pfi, de scherpe ochtendzon, de al te zware geur van Perzische rozen-olie die de koning uitzond, zijn opgedrongen rol van amuseur en hofnar en dan ook nog die eeuwige Gralserzählung.

Om zich te herstellen produceerde hij wat snelle chromati-sche loopjes, een paar dissonerende akkoorden gevolgd door een peinzend monotoon gebrom in de diepere regio's. 'Zeker, een niet te omvademen hoogtepunt,' kirde hij, het hoofd hoffe-lijk naar rechts overbuigend, 'maar toch, als Uwe Majesteit het toestaat zou ik graag even aandacht willen vragen voor iets anders in de *Lohengrin* en wel voor de in die compositie zo su-blieme verwerking van de tijd in ruimte.'

'Huh... hoe?...' Grote geurende verbazing op het damast.

'Hier,' zei Wagner plechtig in de toetsen grijpend, 'Elsa's vi-sioen, een wat trance-achtige melodie... maar aanzwellend tot dat geweldige sopraangewelf "der zu gewalt'gem Tonen, weit in die Lüfte schwoll". Let u nu op, nog steeds bassen hier maar dan gebeurt het... daar aan verre horizon, niet hier vanbinnen maar dáár aan de verre zilveren einder.'

'Van het Alpenmeer,' steunde Ludwig kronkelend op de zij-de, ''s middags, in het broeiuur,' en hij geurde als al het reuk-werk van Arabië.

'Nee, nee,' kefte Wagner, 'van de zee, de wijde, glanzende glasgroene Schelde en ook alles om die zee. Alle koppen, ge-zichten aan dijken, delta's, duinen en rotskusten weten ervan, een groot en zilt vretend heimwee dat waait en vlaagt en geen

naam verdraagt. Een zilveren lijn in de verte, achter de verte, vergeef me dat ik het voorzing... rotstem... ochtendslijm... aharr... "In lichten Waffen Scheine..." toch niet zonder enige zilveren klank. Helpt u mij onthouden dat ik uwe Majesteit eens over mijn geliefde vriend uit Dresden, de tenor Ticha-schek vertel. Die bewees zijn klasse zelfs bij de Gralserzäh-lung, bij "Tau...be", daar bloeide een geluid op stralend als de graal zelf: "Alljährlich naht am Himmel eine Tau...be!" godde-lijk. Moeilijk is dat weer terugnemen bij "von einer Engelschar gebracht..." lastig, zeer lastig, wordt daar meestal kartonach-tig, nooit beter gehoord dan van Tichatschek. O, ja, Elsa... "ein Ritter nahte da, so tugendlicher Reine, ich keinen noch ersah"...'
Hij hoorde geluiden, geslurp, zag bewegingen in zijn ooghoek vreesde wolkende omhelzingen, nek- en voorhoofdskus. Geër-gerd wilde hij met een enkel dirigentengebaar rust scheppen in die hoek maar zijn handen waren bezig. 'Nu weinig bassen,' riep hij bevelend, 'dat is zeer belangrijk, de tijd loopt namelijk in de bassen, daar is ie thuis, alleen wat harp hier, de transpa-rante basklarinet... allemaal niet te diep, alleen maar zwaartelo-ze instrumenten, "zu mir, der Recke werth..." hoort, hoort mijn geëerbiedigde koning hoe hier de tijd tot ruimte wordt... maar hier komen ze weer terug, de zware jongens met züchti-gem Gebaren... celli... bassen! hier houdt het visioen ook op, alles wordt weer lijf en zo, damast. Bij *Tannhäuser* gebruik ik een ander principe, de verkleining, geluiden worden geluiden in een verre en dus kleine ruimte, ik pinkel ze er heen met pic-colofluiten of met een verkleind forte bij voorbeeld, onmetelijk is de tijd, ik maak hem tot ruimte, en iedere toon is een stip in de verte. Voor Elsa liggen acht maten van de blazers, in de eer-ste vier heb ik het hout verdubbeld, ook in het piano, om de zaak wat bij elkaar te houden. Het lag daar allemaal wat te veel uit elkaar, fluiten versmelten ook moeilijker dan de klarinet, ze zijn te zwak, vallen bijna altijd buiten de totaalkleur. De hobo kon ik niet gebruiken, dat kan alleen in een forte, in een piano is hun klank veel te dominant, die verbindt zich niet,

gaat over alles heen liggen. Toch wijzen alle dikke boeken naar de hobo en niet helemaal ten onrechte, klarinetten zijn wat kleurloos in het middenregister, daarom, voor een tuttiforte of voor soli is de hobo prima, zeker, zeker. Ik had dus daar de fluiten en hier de hobo's en een gat ertussenin, ik heb toen de fluiten met klarinetten verdubbeld, niet als versterking maar alleen voor de kleur. Een mooi zwevend unisono werd dat, een licht zilveren vibrato... dat ik mijn Lohengrintoon heb genoemd.'

Verloren in zijn alleenspraak had Richard Wagner zichzelf nu en dan geïllustreerd met enkele ijle traag klimmende akkoorden, opeens opduikend uit zijn muzikale overpeinzingen wendde hij het hoofd naar de vergeten koning en schrok schuldbewust op. Ludwig, voorovergebogen op de bank had het gezicht verborgen in de symmetrisch gevouwen handen zodat de vingertoppen de machtige cirkel keurig gefriseerd haar leken te dragen maar tussen twee licht gespreide vingers gluurde een donker jaloers oog. Achter het machtige, voor Ludwig gesloten bomberende voorhoofd van Richard Wagner verdichtten zich de lichte ochtend die zo ijl maakte in het hoofd en moe, de opdringerige rozegeur, de wat de verdere heerlijke dag betrof met zijn volle gewicht op hem leunende koning tot een fragment uit een avondlijke brief aan Liszt dat hij zich weer zag, ja bijna nog voelde schrijven: 'Ach, zat ik maar in een klein huis ergens verborgen in een bos en kon ik de hele wereld naar de duivel laten lopen. Ik hoef die wereld niet te veroveren, ernaar kijken is al walgelijk genoeg.'

Ver buiten de componist nam Ludwig de handen van een wat mismoedig kijkend gezicht: 'O, die holle paleisgangen,' zei hij bijna verwijtend tegen het zonwarme tapijt, 'die hadden geen echo's, achter de ramen stond de zon stil, op de muren waaiden de mantels maar ze bewogen niet. Als ik vroeg kreeg ik geen antwoord en het meer was groen en wijd maar het bleef even leeg. Alles leek stil te staan, drukte op mijn oren, 's nachts op mijn ogen, mijn borst en in het donker wist ik boven mij aan het slaapkamerplafond de aartsengel die zich roerloos op mij stortte uit de hemel. Wanneer ik aan de oever van het meer de warme binnenkant van mijn dijbenen streelde dan zag ik mij achter de witte zwaan op mijzelf toevaren, witglanzend en met uitwaaierend blauw gaas, maar ik zag mij ook naderbij komen en dat hief elkaar weer op. Eerst na de muziek begon alles te bewegen, niet alleen mijn held, ook het meer opende de ogen vol verwachting. In de muren klonk het geluid van helmen, kronen, maliënkolders, mooie gepantserde handen. Ik verlangde niet alleen, ik wist dat het verlangen ook vervuld ging worden. Tijd stroomde in mijn ruimte...'

Wagner knikte wat mechanisch maar toch sussend en kalmerend tegen het naar hem opgeheven zwakke en weke gezicht, waarin de ogen door de roze gloed en schemer van de serre donkerder glansden dan ooit. 'O, ja, er is veel heimwee in die opera,' gaf hij toe, 'een heimwee van deze kant. Het is dan ook een jeugdwerk, lyrisch en nog vol met melodie, hier en daar zelfs bijna belcanto, o grote goden. Maar ik wilde toch iets anders, ik wilde juist uiting geven aan het heimwee daar aan gene zijde, het verlangen van het hogere naar de diepte, de hunkering van de geest naar de omarming, de schaduw van de liefde, dat smachten om door het gevoel te worden omvat en gekend. Mij zweefde voor de geest bitterzoete muziek van liefde en ondergang maar nu... nu is dat heimwee uitgegroeid naar de grote verlossende kracht van de loutering. Over de hoogste, de glanzendste toppen van het menselijk geluk, over het rauwe, vernietigende verdriet van dood en afstand staart het oog koel en rein in klare verten, ver over meer en zilverstreep heen. Over zo'n held, over zo'n moment zou ik nu willen schrijven en het zou een heel eigen geluid moeten hebben... een Parsifalgeluid.'

'Die Gralserzählung,' vroeg Ludwig, 'in welke toonaard is die ook weer geschreven, toch dezelfde als het voorspel?'

'A dur,' zei Wagner kort.

'Ahh, drie kruisen,' zei Ludwig trots op een flard muziekkennis.

'Ja,' zei Wagner traag, 'drie kruisen voor dat geluid, iets van Golgotha zou moeten meeklinken.' Hij zweeg ontroerd.

'Gralserzählung,' zei Ludwig.

Richard Wagner legde de roze behaarde handen op de toetsen, zag het zichzelf doen en voelde zich vernederd. 'Wagner, Wagner daalt op Hohenschwangau neer,' dacht hij, 'in zijn weg staan snotjongens, van Wittelsbach tot Pfi en Pfo.'

'Te veel melodrama in *Lohengrin*,' zei hij giftig opzij loerend, 'zo van die fluit-maar-mee-stukken die op eigen houtje de wereld in kunnen trekken en op de kermis terechtkomen. Een stem moet zich buiten de melodie houden, geen tralalie maar harmonieën omspelen en verduidelijken, tekst overbrengen. *Lohengrin* heeft nog te veel buik en boezem, handen en half geloken ogen, het is allemaal nog te lijfelijk.' Hij hoorde geen commentaar.

'Te lijfelijk,' herhaalde hij.

'En détail mag dat dan juist zijn,' zei Ludwig afgemeten, 'maar nu de Gralserzählung.'

'Dem König zeitweise, wenn er Musse hat und Verhältnisse es gestatten über Musik vorzutragen.' Zo was dat vastgelegd in een roddelbezwerend en bezoldigingverklarend contract. Wagner boog hoffelijk op zijn krukje: 'Uwe Majesteit is al te goed,' zei hij en begon braaf te spelen.

Aan de noordelijke oever van het meer, op een glooiend grasveld stonden de muzikanten opgesteld, een zo op het oog allerwonderlijkst Sammelsorium, uitgedost naar vorstelijke gril, gedeeltelijk nog in uniform, gedeeltelijk in fantasiekledij. Sommigen droegen met de vanzelfsprekendheid van een droom een driekante steek met Franse poederpruik, weer anderen een oranje of geel zijden blouse met ballonmouwen, een vest van groen fluweel, een stola, een chiton, een helm en zelfs blonk er een witte gesteven plooikraag in de rij, waarboven een zwarte pluimhoed en waaronder wijde bruinleren laarzen à la Velasquez.

43

Onder de toneelgarderobe scholen de muzikanten van het eerste Beierse infanterieregiment, oogknipperend in het licht en opgesteld in een halve cirkel, begin- en eindpunt maar een paar pas van de meeroever. Wagner die voor deze speciale gelegenheid de plaats had ingenomen van Kapellmeister Siebenkäs vormde het middelpunt van de halve cirkel, en met zijn zwarte pandjesjas, lichte zomerbroek en -vest en fluwelen baret viel hij niet uit de toon. De lage middagzon legde over de nevel op het meer een scherp en diffuus licht dat in de ogen beet, oever en onderste helft van de bergen wegbrandde zodat een donkere, hoge heuvelrand allen omvatte als de rand van een enorme schaal.

Richard Wagner, alleen protesterend door opvallend lusteloze dirigentengebaartjes had zijn instructies nauwkeurig opgekregen, niet van de koning zelf maar van de over zijn hoofd wegstarende en blijkbaar in andere zaken geïnteresseerde Opperstalmeester graaf Holnstein, een wonderlijke, wat grillig aan- en afwezige figuur aan het hof te Hohenschwangau. Vier maal moest de melodie klinken van de Heerrufer, 'Wer hier im Gotteskampf zu streiten kam...', om daarna plechtig het 'Nun sei bedankt...' aan te heffen.

De pauzes waren lang en met overleg vastgesteld om de kunstig gevormde zwaan en gondel, de trots van theatermachinist Penkmayer, gelegenheid te geven mythologisch op te doemen, maar een lege maag door het al lang overschreden lunch-uur, zon, buitenlucht en flarden gele zijde deden de componist bijna dwangmatig denken aan de daags tevoren genoten broodsoep met eigeel en room en de omelette soufflée zacht doorkorreld met aspergetipjes. Kwellende visioenen die hem zo sterk naar het einde deden verlangen dat hij vermoedelijk als eerste het zachte geklakker waarnam, verborgen binnen het gewone kabbelen van het water tegen de oever en het orgelen van maag en darmen.

Helwit en pijnlijk voor de ogen hing het donzige licht boven het meer, Wagner hief de stok, een laatste blik over de carnavaleske cirkel; zijn van bewondering smeltende knecht Franz hoger op de heuvel, de fanatieke vereerder en koninklijke vriend Paul Taxis en de amusische, viriele stalmeester die, de laarzen bijna in het water, met overdreven, bijna spottende gebaren het koord inhaalde. Wagner mocht die man niet, maar zijn voorzichtige peilingen in die richting waren op niets anders gestoten dan een avonturier, zelfs een van stijl, een man zonder angst, een soort achttiende-eeuwer met voorouders die toeren uithaalden zoals duels, ontvoering en zelfmoord; toch... hoe dan ook, Wagner snoof daar de intrigant. 'Nun sei bedankt...' de muzikanten hielden de ogen gesloten tegen het licht, hun gezichten en handen wit als kaarsen.

Voor de moeizaam in alle richtingen turende en tegelijk dirigerende Wagner verdichtte zich de mist achter hem toch nog plotseling tot een allesomvattende gouden schulp van uitgespreide vleugels, een bollende hagelwitte borst die zich wiegend en fonkelend in het water voortzette, een nergens mee verbonden veel te gele bek waarboven een paar zwarte ogen.

Onder de geheven hand van de componist klonk uit die visioenen omvattende aura, onophoudelijk bevestigd door de in een vurige mist ronddrijvende en knikkende zwanekop het 'Nun sei bedankt...'

Diep ontroerd luisterde Wagner naar die wondere, verre melodie, ontstaan uit pure hoogzingende klarinetten van het eerste regiment Beierse infanterie en opdoemend uit de verte en de diepte van het niet meer begrijpelijke. Vergeten was het hautaine lachje van Paul Thurn und Taxis, vergeten Holnstein en de even cynische als komische gebaren waarmee hij de cavalcade naar zich toe trok, vervluchtigd waren de schuldeisers, de geruchten en de onzekerheid van ondoorzichtige audiënties met dreigende koetsen op de binnenplaats. Weg Pfime en Pfofner en hun staalgebrilde domestiekenvisages, foets met de ijskille en vijandige zakelijkheid van de Kabinetskassa. Wat overbleef was licht, muziek en der muzen brede vleugelslag, het onontkoombare, onvermijdelijke, goddelijk onhoudbare verschijnen van de gondel, waarin het monumentale zilveren schild waarop het bijna zwevende gouden kruis van de graalridder, het geheel even overflitst door de helm. 'Nun sei bedankt...' de mond van de toondichter zakte open, een rode gloed drukte achter de oogbollen, vulde de holte om het hart. 'Ach mijn Ludwig... edele vriend, Koning door Gods genade. Wat is hij jong en, bij de hormonen van Herakles, wat is hij schoon... Een oerepopee, charisma, mysterie, uitverkiezing... een wonder. Dat viel alleen te vergelijken met die extatische droom uit zijn jongelingsjaren toen hij droomde dat Shakespeare nog leefde en dat hij met hem sprak. De indruk was onvergetelijk geweest en was later overgegaan in het chronische verlangen ook Beethoven nog eens zo te zien. Hij voelde het opeens, Richard de lijdende, de duldende en wachtende behoorde tot het verleden, de voorzienigheid had hem in het felle schrijnende schijnwerperlicht gezet van haat, nijd, koningsgunst en intrige, maar voortaan zou het zijn Richard de glorierijke, de onvergetelijke... Hoch, mein König! Hoch!'

Hoe zacht ook, toch werd de componist opgeschrikt uit zijn vervoering door een blond omsnorde stem vlak bij zijn oorschelp. Opeens zo dichtbij leek het gezicht van graaf Max Holnstein bulderend hard en gezond, dat wil zeggen even spottend als verachtelijk van blik. Geen man voor Wagner, maar grof opgedoken uit een zijtak van de Wittelsbachers had de man entree, mocht zelfs 'aus Bayern' aan zijn naam toevoegen en was dan ook niet over het hoofd te zien. Een blonde ongeletterde Hercules, maar even thuis in de empiresalons van de ministeries als in de bierkelders. De mond bewoog nauwelijks, de voortanden even zichtbaar waren benijdenswaardig wit en hard, de ogen daarboven speurden en tastten. 'Hatte der alte Max aber recht... etwas sodomistisches hat er ja.' En Wagner zag zoals zo'n stem opeens doet zien: een aspergedunne, wat potsierlijke knaap met sterk afhangende schouders en een veel te lange nek.

Een belachelijk fors gehandschoende hand hing slap over de

bovenrand van het schild, het gehelmde hoofd waarvan de blauwe sliert tule golfde als de rook van een stoomboot, diep gebogen er naast. De koning leunde zwaar op het wapenschild en was kleiner dan de onplechtig hobbelende zwanehals, hij hing ook wat vreemd scheef.

'Gewiss rollmopst er jetzt seinen heisen Licker...'

De stem klonk rustig en helder, Wagner keek in het onbeschoft sterke gezicht, daarna erlangs naar het meer en voelde de even in hem opvlammende woede wegebben in een diep bevredigend gevoel van moedeloosheid dat dit licht maar voor enkelen scheen.

Wagner wist precies waar de koninklijke bevelen ontstonden en ook wanneer, hij zag de kamer zo duidelijk voor zich dat hij met de vinger het meubilair kon natrekken daar in dat kleine wat rommelige slot aan het Starnbergermeer. Vooral het vertrek waar Ludwig zich na de maaltijd placht terug te trekken voor zijn wat vadsige overpeinzing, overwegend vaalblauw tot blauw gehouden, waar de componist zijn eerste sidderende en onzekere gesprekken had gevoerd met de koning. Daar was ook speciaal voor hem een klavier neergezet waarop hij de koning voorspeelde, zo op het oog geheel in vervoering, maar alert voor ieder gebaartje waarmee de jonge vorst aanduidde het woord te willen nemen: over politieke kunst, kunstzinnige beambten, ambtelijke politiek, politieke familieleden. Al een enkele beweging van een vinger bracht destijds de meester tot zwijgen wat de koning ver boven zijn stand uittilde, hem zelfs gevat maakte en soms verrassend vindingrijk en trefzeker. Maar hoe uiteenlopend de gesprekken ook konden zijn overdag, aan het eind van de middag of aan het begin van de avond noopten de verstilde wijdheid en ruimte van het meer tot relativerende en filosofische bespiegelingen. Uit die tijd of ruimte stamden ook de onherroepelijke bevelen, ze ontstonden uit het niets, waren onafleidbaar, werden kwijnend uit de lucht geplukt, om zo te zeggen uit de bron der Gottesgnade zelf.

Wagner kende de metafysica van het geeuwen tegen het meer na het middagdutje, daarom schikte hij zich in het onvermijdelijke en absolute en verdiepte zich na het uit slot Berg neergedaalde bevel tot een opvoering van de *Lohengrin* in het altijd weer even kwellende als bijna onoplosbare probleem der rolbezetting.

Zoals gebruikelijk in tijden van een creatieve crisis begaf hij zich in zijn woning Briennerstrasse 21 naar de graal, dat wil zeggen naar een zijvertrek van zijn werkkamer waarvan de afmetingen zowel als de inrichting zuiver geestelijk waren. De wanden waren van geel satijn, de enkele nissen erin van een verheven, zich van binnen uit ontvouwend rood dat anders alleen in een verstild en schouwend hoofd heerst achter door ochtendzon beschenen oogleden. De zwaarteloze, dromende blik werd door de roze draperieën, sierlijk geplooide tule, kunstrozen, een madonna van Murillo en lichtend parelgrijze biezen niet afgeleid maar verdiept en verinnerlijkt. Een zacht licht dat door een venster binnentrad begaf zich eerst naar het wit satijnen plafond waarna het tot het uiterste verfijnd en verzacht een wondere gloed legde over de oosterse kleurenpracht van het smyrnatapijt. Hier en daar een enkel geschenk, met zorg opgesteld, zoals de porseleinen schaal beschilderd met motieven uit de *Lohengrin* door Otto Wüstlich naar aquarellen van Leopold Rottmann naar aanwijzingen van de koning.

In het juiste midden van dit vertrek stond het zacht verende, met wit moiré overtrokken rustbed van de componist, van daaruit overzag hij zijn zachtzijden onmogelijkheden. Een even zwevend gehouden Albert Niemann, een bijzondere voorkeur van de koning omdat deze zanger hem tot tranen toe deed denken aan de schone heldengestalte van een slechts eenmaal in het voorbijrijden ontwaarde houtzager in een molen te Berchtesgaden. Een hachelijk moment in de overwegingen, de koning had hem voor het eerst onvergetelijk gehoord, of liever gezien in Hannover, waar hij hem dol enthousiast door zijn

'Leibjäger' geschenken en briefjes had laten brengen tijdens en na de voorstelling, en ook later wanneer hij hoorde van een optreden ergens aan de horizon zorgde hij nog voor gehuurde bloemenwerpers in de zaal. Maar Niemann viel af, dat was zeker al ging de vorst ook op zijn koninklijk hoofd staan. Een goede Lohengrin moest als het ware spelenderwijs beschikken over een stralende stem en dat wilde op zijn minst zeggen dat die niet al te veel moest wankelen. Niemanns techniek was slecht, al had hij een paar maal een goede Tannhäuser gezongen, met zekerheid kon maar op een paar tonen worden gerekend, legato en piano waren catastrofen. Verder was het ook nog een ondraaglijke opschepper, maar hij speelde weer goed toneel en had, dat viel niet te ontkennen, een vervloekt indrukwekkende gestalte. Maar hoe dan ook, hij zou zich, zo had hij laten doorschemeren, niet beschikbaar stellen tenzij er in de rol werd geschrapt en daarom had Wagner nog een verrassing voor hem in petto, hij zou hem niet eens vragen. Dan was er nog Vogl maar dat was ook geen goeie, Wagner schudde wat treurig het hoofd, nee Vogl niet, dat was geen zijde, geen satijn...

De zachte stof die behaaglijk onder zijn vingertoppen door gleed gaf aan zijn gedachten een wonderlijke kronkel; op zijn Bühne geen castraten, dacht hij opeens grimmig alsof iemand hem dat voorstel had gedaan, zijn helden zongen dan maar een octaaf lager, hij wilde borsttonen horen en modulaties en kleur, dat was belangrijk. Hij zocht eigenlijk niet één Lohengrin, hij zocht er wel tien, die zouden elkaar moeten kunnen aflossen zonder dat de zaal het merkte. Hij had een donkere nodig, een duistere, een hel verlichte, een glanzende, een overmoedig zwellende, een overmatig brutale, een triomferende, een diep bewogen Lohengrin en ook een ondoordachte, en unheimliche. Als orgeltonen zou hij ze uit de coulissen moeten kunnen sleuren, een stem als een aquarel, door een enkel gebaar veranderend in het donker van een olieverfschilderij of de klank van een bronzen vaas.

Wagner bekeek dromerig de flarden geslaagde vocale wendingen die door en over de zijde gleden en niet eens onbehaaglijke golven verdriet en spijt opriepen over de even dode als grote Schnorr von Carolsfeld, eens bijgenaamd Ludwig de derde. De gele en witte zijde, het liggen, het moiré en de stilte erboven, de versomberde en veeleisende koning, alles riep het gigantische lijk op in die onherhaalbare Tristanzomer van vijfenzestig. Centenaren vet, bot en spieren waren door Wagner tot trilling en begeestering gebracht, hier had de geest, zijn geest in de ware zin des woords de materie doordrongen, meer dan dat zelfs vernietigd. 'Den hat der Wagner auf seinem Gewissen,' zeiden ze in München want in München zeiden ze veel. Schnorr zelf had overigens de details geleverd voor de biertafels door zijn gewijde woorden van 't ziekbed dat hij was bezweken door het uitgeput, leeggezongen en bezweet neerliggen in de laatste akte terwijl Isoldes liefdesdood zich boven hem voltrok, begeleid door de doodskou van de tocht die over de toneelvloer trok en het gewauwel achter het decor dat hij ook nog aan moest horen. Een gebergte van een man, maar een die Wagner zich opeens als in een verweer niet anders meer kon voorstellen dan als een gorgelend in het water wegzakkende Lohengrin, met gondel en al. Daarbij had ie ook te veel baritonklanken aan de onderkant van zijn stem gehad. Malvine Schnorr, alhoewel misschien wat incoherent door het verdriet over de dood van de zanger zou overigens wel een prachtige Elsa zijn. Hij kende haar als lieflijk, bevend lachend, moeiteloos de ziel treffend, maar sinds ze optrok met een wonderlijk loeder dat bezocht werd door profetische dromen waarin een verheerlijkte Schnorr de koning dringend een huwelijk aanraadde met de profetes en overigens Wagner even dringend verzocht voortaan de krachten van zijn zangers te ontzien en zich wat meer om het echte Duitse lied te bekommeren, was het verboden ook maar haar naam te noemen in de omgeving van de monarch.

De definitieve keuze viel enige dagen later als resultaat van een aftreksom op de enige zanger die vrijelijk beschikbaar was: Tichatschek. Wagner ontving de oude vriend allerhartelijkst op de trappen van zijn huis, de deuren in de imposante renaissancegevel achter hem wijd open en overzag in een flits voor het tedere en innige omarmen van de vriend uit zijn verre en schimmige Dresdentijd welke tol de jaren hadden geëist. Veel. De deuren van de imponerende gevel sloten zich achter een even dankbaar als hoopvol zanger en een bezorgde, nadenkende componist, die zich even de Elsa voor de geest haalde, Mathilde Mallinger, een wens des konings, negentien jaar oud...

Daar de koning onverwachts en dat wilde zeggen op ieder moment op de repetities kon verschijnen was Tichatschek de enige die zwaar geschminkt, bepruikt en opgemaakt rondscharrelde, een magere, bescheiden man, nu en dan even droevig wegdromend tegen een pilaar of als vreemde, enige bovenzinnelijke gestalte rondwarend tussen de in vest en hemdsmouwen zwetende rest. Een Don Quichot wat zijn uiterlijk betrof maar verder zonder al te veel wanen.

Wagner, naar het 'mie-mie-mie' luisterend in de kleedkamer en op het toneel, stelde met voldoening vast dat de stem van de zanger, hoewel duidelijk afgezwakt, zijn oude zilveren klank had behouden. Ontroerd omarmde hij de tenor op het open toneel maar betreurde heimelijk dat Tichatschek eigenlijk altijd maar weinig zin had gehad voor het cantilene. Weliswaar waggelde de stem wat in dramatische hoogten maar instinctief klampte Tichatschek zich vast aan zijn perfecte dictie waaraan Wagner een bijzonder grote waarde hechtte.

Toch waren het wonderlijk genoeg juist de onvastheden die Wagner diep ontroerden, hij wist, het melkwit, stralend opdoemend tremendum liet geen menselijke zwakheden toe en hij voelde zijn anus dichtknijpen van hoop, angst en deernis wanneer de zanger zich op overbekend en overbelast gebied waagde, zoals 'das süsse Lied verhallt...', en wat er allemaal zou kunnen gebeuren aan het slot, als de uitgeholde zanger het eind zou inzetten, niet alleen aan het eind van zijn missie maar ook aan het eind van zijn krachten, daaraan durfde hij helemaal niet te denken.

Welke motieven hem doof maakten voor de beslist niet altijd voorzichtig of bedekt geuite bedenkingen kon hij niet goed onder woorden brengen. Wanneer hij er al over wilde nadenken veranderden diep in hem alle argumenten in het beeld van een zich uit het licht vrijmakende koning, een spelende oververwende knaap, storend schoon bij tijden, zacht schommelend achter de zwaan, zichzelf betastend en bewonderend en overgoten en overladen met al Gods goede gaven en weldaden. Maar dwars erdoorheen schemerde een tegenbeeld dat hij niet wilde zien, met alle kracht buiten zijn schedel trachtte te persen: de holle frasen lallende, talentloze dégénéré supérieur, samen opduikend met het volbeschenen gezicht van graaf Holnstein waarin de ogen spottend en samenzweerderig schitterden boven een blonde honinggele snor.

Wel had Wagner de koning geschreven over de bijzondere eisen waaraan de Lohengrin moest voldoen: een rijke tenor zonder de bariton-kwaliteiten die de heldentenor kenmerkte, nee een lichte tenoro buffo als een prachtig contrast met de gespierde Telramund gezongen door Franz Betz; op deze wijze had hij getracht de enig overgebleven zanger nog als een kostbare vondst af te schilderen.

'Ik heb een tenor gekozen, Joseph Tichatschek, een wat wonderlijke man maar ik ken hem, het is een oude strijdmakker uit Dresden. Op de repetities heeft hij al geweldige bewondering gewekt, iedereen was muisstil. Vrees zijn uiterlijk niet, dat komt wel goed, hij is al wat op leeftijd maar een zeldzaam gelouterd mens, energie en ritme zijn hem aangeboren. In zijn verschijning, ik bedoel in zijn bewegingen zal hij Lohengrin uitdrukken zoals misschien Holbein hem zou hebben geschilderd maar hij zal zingen en spreken alsof hij door Dürer is neergezet: groots, krachtig, stralend. Zijn "Gralserzählung" heeft ons verbluft!! daar tekende zich op een stralend gouden fond een onvergelijkelijk zilveren, edel zangorgaan af dat allen als een wonder voorkwam. O vertrouw mij, vergeet alle vooroordelen. So lege ich meine Bitte an Ihr Herz, blicke dankbar zu Ihnen auf und ersterbe in Treue und Liebe als Ihr ewig eigenen Richard Wagner.'

Ook in de krant verscheen op dit juiste tijdstip een stuk waarin werd vermeld dat voor de Lohengrin de gevierde zanger Tichatschek was gekozen als de waardigste interpreet der Wagneriaanse zangopgaven en als zodanig had hij zich op de repetities dan ook bewezen, waar de frisheid en de schoonheid van zijn stem algemeen werd bewonderd en de grote kunstenaar grote bijval oogstte. Zijn voorbeeldige zangprestatie deed vergeten dat de herfst zijn uiterlijk wat overschaduwde, de bloesem weliswaar had afgestroopt maar tegelijk de gouden vrucht had doen rijpen...

De koning reageerde niet, een stilte dreunend als de stap van het noodlot zelf, de generale repetitie kwam en ook de aanzegging van 's konings aanwezigheid daarbij en dus ook het moment waarop de koning plaats nam in de grote middenloge en ook het ogenblik dat het licht doofde. O, de vele, vele graden van werkelijkheid...

Ondanks eerbiedige aanbevelingen en innige adviezen blonken de glazen van de koninklijke lorgnon al vanaf de eerste tonen in een ijzige, fronsende, onverbiddelijke aandacht voor het geringste detail.

Wagner die de battuta zwaaide verdedigde zich muzikaal, vermeed energie sparende routine en maniërismen om de stroomversnellingen van de bekende thema's te bereiken of de donderende climaxen. Zijn tempi waren snel en licht, het orkest daardoor plooibaar en doorzichtig, in de complexe gedeelten waren alle thema's te horen, geen werd er toegestaan te domineren zodat alles van een bijna Mozartiaanse helderheid werd, al ging Frau Mayer als Ortrud een enkele maal wel heel erg tekeer. Die beschikte over zuchten als charges van een cavalerieregiment. Op deze wijze kon Lohengrin zo onbelast als maar mogelijk was opdoemen, maar hoe harmonisch ook ingeleid en ondersteund, wie er opdoemde uit de diepte van een instinctief pessimisme en zonder de door de koning uitdrukkelijk bevolen blauwe mantel was gewoon de zanger Tichatschek en het verbaasde Wagner dat hij, als vriend, toch nog zoveel belachelijks kon zien: de vettige, diepe schminkplooien waarin zichtbaar het door angstige voorgevoelens naar buiten geperste zweet parelde, de lubben onder de kin van de zanger, los en fladderend als bij een kalkoen, en in plaats het grote goudkleurige zwaard te verhogen van wapen tot een teken des kruises, klemde de tenor zich maar al te duidelijk vast aan een voor deze gelegenheid stevig aan de bodem van de gondel bevestigde zwaardvormige stang. De toneelkijker in de hoge, donkere loge spatte voelbaar vonkjes.

In de pauze kwam hofsecretaris Düfflipp met half geloken oogleden vertellen dat de koning op het punt stond te vertrekken, overigens alleen om de Elsa van Mallinger nog tot de pauze was gebleven.

Wagner werd kalkwit, het koffiekopje trilde hoorbaar op het schoteltje toen hij het op tafel zette. Woedend beende hij door de gangen de trap op en liet zich aandienen.

Ludwig had alle lichten laten doven in de loge zodat Wagner bij de deur alleen het slanke, donkere profiel van de koning zag, gehuld in de zware misselijkmakende geur van chypre. Ludwig stond met de rug naar Wagner toe maar draaide zich niet om. In de zwak verlichte zaal starend zei hij monotoon alsof het een zaak betrof die hem nauwelijks aanging: 'Ieder element in een kunstwerk moet het geheel dragen. In de miskenning van het detail sterft de idee.'

De overdreven belerende toon krenkte de componist diep, hij kuchte even om de keel wat te ontspannen: 'Majesteit, met verlof, u is wat ik zou willen noemen een ogenmens. Van nature...'

'Exact.'

'Ahurr... staat u mij toe er alleronderdanigst op te mogen wijzen dat bepaalde plasticiteiten aan de kwaliteit der stem nog niet...'

'Neen,' beet Ludwig in de schemerige zaal, 'heeft dat wat daar eh... bezig was, ahh, quelle purée... zich ooit wel eens in de spiegel bekeken? Deze clown uit een tingel-tangel, dat is een koning eenvoudig niet waardig.'

'Majesteit, mijn gebieder...' Wagner stikte bijna van woede.

'Besparen we ons maar alle formele ballast Richard, zonder krul- en snijwerk, hij kraait als een dronken gevoerde favorol-lohaan. Deze intreurige mediocriteit werkt op mijn gal, mijn chymus. Ik wil geen Lohengrin horen, maar zien! Een goede raad, neem Niemann of Vogl... een echte chevalier au cygne... à la blonde armure en niet deze donderkloot.'

Voor het oog van de zich diep vooroverbuigende Wagner dreven rode, donzige vlokken. 'Majesteit, vergeving... vergeef mij, dit houdt mijn arme hart niet meer uit. Ich kündige... ich reise ab...'

Het bleef even stil in de loge, de koning had zich nog steeds niet omgedraaid. 'Nun... so reisen Sie zu,' klonk het daarna koeltjes en Wagner schuifelde zwak in de blaas achteruit, tast-te een paar maal tevergeefs naar de kruk en stond even later in het licht van de corridor waar hij met zwaar bonkend hart be-vreemd het karpet bekeek. Men liep op hem toe, hij hoorde stemmen vol eerbied: 'Donders, hij was bij de Koning!' maar hij snelde verder door de gang: mager, met kleine snibbige pasjes en koortsig hoofd. 'Bij de Koning?!! nou en?... in Spanje had er eentje de tering, in Portugal lues, de Zweedse haakte goddomme beddespreien en in Holland beoefende zo'n exem-plaar de veelwijverij. Koningen... nee, en deze was ook niet goed in de bol, een koppel mannenbillen, ja dat deed hem ril-len tot in het merg, maar muziek... daar kittelde je op een lit-teken.'

Wat later zat hij monumentaal gekrenkt in een hoek van het toneel, het grote hoofd met de gebalde vuist ondersteunend. Toen de koning werkelijk vertrokken was gelastte hij de repeti-tie af en begaf zich waardig en bleek naar huis.

Buiten was de avond tactvol op het drama afgestemd, de wind rukte stormachtig aan de hoeken van de koets en floot nu en dan schril bij het portier dat niet helemaal sloot. Om de koets lag een sombere wereld, niet bepaald een stille wereld van graal en ridderdeugd: holle straten, hoge klagende gebouwen met grote donkere ogen, en nu en dan sproeiden huiverende vlagen tegen het raampje. Een koude, verkleumde wereld was het, vijandig als een leeggelopen zaal, een universum dat Wagner beklemde en beangstigde en de brief die hij direct bij zijn thuiskomst schreef en die er een had moeten zijn van trotse berusting en resignatie, een zich waardig terugtrekken uit, alles droeg er de barokke sporen van.

'... Eens trok mijn wilde zwaan de gondel des gewijden graalridders door wilde vloed ten strijde. Nu, de wateren hebben hem verzwolgen en al pelgrimeert zijn opgetuigd evenbeeld ook nog zo dikwijls door de coulissen, mij gaat dat niets en niet meer aan. Het bekome u allen wel. Hofsecretaris Düfflipp (Uwe Doorluchtigheid kent zijn klagende stem) berichtte mij, onderhield mij over mijn feilen de Koning personen te hebben willen opdringen tegen diens verheven zin. Edele, grootmoedige vorst, met oorlof, ik bid u... nu goed, hij is 63 jaar oud... maar om Godswil, redden wij toch de verhevenheid van onze band. Dit ene staat in ieder geval vast, bij Tichatschek dient de ziel te genieten en niet het oog. Zeker, 63 jaren... maar och, al dit zijn zaken van ijdele en treurige aard. Het zal niet weer voorkomen, ik heb ten einde geleden, het is genoeg. Van nu af aan dienen wij weer op te bouwen, zoals ook de hele wereld eeuwig en steeds opnieuw zich verheft uit puin en ruïne. Ich fühle es, die Liebe lebt! Glaube! Hoch das Herz! Nichts ist verloren. Treu bis in den tod. Euer Majestät allergehorsamster Unterthan.'

Terwijl hij naar de brief keek die op de tafel lag in het licht onder de lamp luisterde Wagner naar de wind buiten het raam. Het was een beetje een verloren makend geluid, een wat richtingloos rukken en flakkeren; wat stukken Niemann, Vogl, ook wat flarden Beethoven en enkele eigenzinnig rondwaaiende woorden zoals de laatste woorden van de stervende Schnorr: 'Leb wohl, Siegfried, tröstet meinen Richard,' wat op zo'n avond best te begrijpen was, maar ook klonk merkwaardig genoeg 'das Schöne ist das Zwecklose'. Hij kreeg een oud hoofd, dat was zeker, wie had dat laatste ook weer gezegd? Het deed het beeld ontstaan van een door de avondwind jammerlijk onttakelde Tichatschek, helemaal alleen op de tochtigste en meest verlaten straathoek, waarbij Wagner met een schok zelfs even een opvallende gelijkenis met zichzelf vaststelde. Onzekere, spokende beelden maar voldoende om de voor zijn gevoel meest geslaagde zin in de brief te ondergraven: '...diene de ziel te genieten...' De ziel... wie kon zich daar nog iets onder voorstellen? Zuchtend greep hij zijn pen en schreef de aanhef van de brief die hij tot het laatste had uitgesteld: 'Grossmächtigster König und Herr'.

Wagner in Bayreuth

Het was een zomeravond zoals op een toneel, vol stond de maan aan de hemel tussen wolkjes als aangebracht met enkele lichte penseelstreken, de bomen aan de kant van de weg waren roerloos, blauwzwart glanzend, en om dat alles hing de passende stilte slechts nu en dan verbroken door wat gemompel of het stampen van een paardehoef.

Wagner was om meer of minder vage overwegingen blootshoofds: er dreigde geen gevaar voor een plotselinge windvlaag die het zorgvuldig geborstelde, dunnende haar plotseling ondecoratief in de war kon slierten, en een eventueel nog verkoelend briesje wilde hij aan het wat verhitte voorhoofd niet missen. Maar verder kon hij zich ook de ontmoeting met de koning na zoveel jaren scheiding niet helder voorstellen: de hoed op het hoofd houden ging alleen om de verschuldigde eerbied al niet en zou overigens ook bij omarmingen of een door het verleden overweldigd in elkaars armen storten tot de onmogelijkste clownerieën kunnen leiden. Toch zou zijn romantische fluwelen hoed, indien afgenomen met grandezza, met wat lage borsttonen, gebroken stem... een onvergetelijke maar korte zin..., maar nee, hij wilde de handen vrij hebben. Voor een ook nog even overwogen vervoerd de hoed van het hoofd rukken, in het gras werpen en op de koning toedraven vond hij zich niet meer de jaren hebben.

Dus wachtte Wagner blootshoofds in het maanlicht, elegant gekleed in zwarte rok, crèmekleurige broek en vest, de lichte zomerjas luchtig over de schouder geworpen, en luisterde naar de krekels, het stampen van een paardehoef en het gemompel van zijn dienaar Georg, een paar gendarmen en ook wat boeren die op het laatste moment de lucht hadden gekregen van 's konings verstolen aankomst.

Met regelmatige tred liep de componist heen en weer over de breedte van het weggetje, hij wist, bij stilstand dreigde direct aanspraak door de eveneens in de schaduwen opgenomen directeur van de spoorwegen, een man met een overdadig behaard gezicht, die voelbaar zijn onrust wilde wegpraten. Maar Wagner wilde dat in die nacht maar één man werkelijk op de koning wachtte en dat was hij, 'der Meister' zoals hij in het van feeststemming kolkende en toeterende Bayreuth werd genoemd, en het was verder nog maar de vraag welke naam in al die Bayreuther koppen nog het meest klonk, die van hem, de schepper van de al bijna legendarische *Ring* of die van de al bijna legendarische Ludwig.

In het bedachtzame heen en weer lopen lag behalve een zich distantiëren ook iets van een bedachtzaam afwegen: in het ene perspectief lagen de blinkende rails, stil, dun en raadselachtig tot aan de verre bocht, in de andere het speelgoedachtige baanwachtershuisje 61, met vlak daarachter het Rollwentzelhuis waar eens de schrijver Jean Paul leefde en schreef, en ver daarachter het Bayreuth dat stampvol met muziekkorpsen, vlaggen en wimpels die avond tevergeefs op de aankomst van de koning zou wachten.

Het was een wat drentelend overwegen dat echter op geen enkele manier feiten tegenover elkaar zette, integendeel: herinneringen, stemmingen, ontroeringen, onrust en spanning riepen elkaar, al naar gelang het blikveld, op, maar werden tegelijk omvat en in evenwicht gehouden door de wonderwitte maannacht. Toch was het maar een wankel evenwicht, een plotselinge storende windvlaag, een koude nevel, te veel loerend volk, een plotseling piskletterend en stinkend paard en de nog net buiten dat drentelen gehouden ergernis zou er zijn, want wachten was tenslotte wachten, ook op een bizarre koning en Wagner was de Wagner van Bayreuth.

De vertraging was gelukkig maar gering, te wijten zoals Wagner later toevallig toch nog te weten kwam aan het bevel van de koning, die het anders nooit snel genoeg kon gaan, vaart te verminderen tijdens het souper, om zo te zeggen tussen de consommé aux petits quenelles en de glace tutti frutti à l'orange. Trompetsignalen van ver bij de bocht geposteerde baanwachters schetterden hel op, even later gevolgd door een klagend fluiten aan de horizon. Een spoorwegbeambte controleerde nog snel en nerveus de naar de rails uitgerolde loper, waarna alles roerloos, bijna in de houding het stoppen afwachtte van de trein. Steeds koninklijker rolde deze aan, maanwitte pluimpjes blazend in de bocht, maar steeds zwarter, sissender en glanzender, tot hij huizehoog, knarsend, vol emblemen, verlichte vensters en rookslierten tot stilstand kwam.

Na een indrukwekkend moment waarin niets gebeurde, ging het portier van de salonwagen open, een kamerheer, even zwart en slank zichtbaar in de oranje rechthoek sprong naar buiten en sloeg de trap naar beneden. Na een poosje verscheen de koning, breed en massief op dezelfde plaats als de kamerdienaar, even wantrouwend speurend naar links en rechts met een zwart door een cilinderhoed getooid hoofd waarna hij rustig en loom afdaalde in schaduw en flarden stoom.

Flarden stoom...! en het was kwart voor een 's nachts, zodat door het glimmende achterwerk van een paard, gehinnik en opwolkende nevel giftig een Walkürenrit door het gespannen componistenbrein flitste: klepperende echte paarden uit de koninklijke stallen met rijknechten en al en nog meer... als een even opblinkend thema in de diepte van een symfonische doorwerking die vervloekte, nooit lukkende regenboogbrug en die al even onbeholpen scène met de Rijndochters, 'das reinste Hurenaquarium', zoals heel München grinnikte, waartegen hij weerloos was geweest. Jaren terug dat alles, maar belangrijkste punt in de verkoeling tussen hem en de koning. 'Een muzikale mesthoop... een barbaarse aanslag op de organische eenheid van de *Ring*!' nog hoorde hij zijn eigen schrille stem, zag de erbij horende vuist, de priemende vinger: 'Het is als een geheel geconcipieerd, een geheel... en daar verdwijnt het moot voor moot en verminkt in de poel van de theaterroutine.' Maar even onverzettelijk als de koning daar opdoemde uit die flarden stoom, met breed uithalende zwaaiende pas had hij zijn eerste deel voor de leeuwen geworpen met alle door hem bevolen apparatuur. Betz die de Wodan had zullen zingen had hem gewaarschuwd wat voor rotzooi daar op hem afkwam. Rheingold, Scheingold... Rheinblech... Dat hadden ze zich niet laten ontsnappen in de *Punsch*; Wurmsee-Mysterie; die blutende Seenixe oder der verhängnisvolle Nagel in der Badeanstalt. Ja, een mesthoop was het geweest, een mesthoop...! Met alle trucjes en handigheidjes van een oud acteur golfde Wagner plotseling naar voren, een kop half Faust, half Mefisto, greep met beide handen de nog zwaaiende en afhangende hand van de koning die een griezelige fractie van een seconde de indruk maakte met licht omhoogstarende, wat afwezige ogen door te lopen. De mollige vuist van de monarch zo plotseling bewreven en gedrukt trok niet aan de borst, duwde ook niet terug maar bleef onbeweeglijk, zodat Wagner geen andere mogelijkheid overbleef dan de koning met het hoofd scheef en sterk achterover innig in het gelaat te staren, met plotseling betraande ogen. Na een paar tellen deed Wagner een stap achteruit, veegde even over het voorhoofd als bedwong hij een lichte duizeling. Een teken? alles kwam opeens in beweging, bestond opeens: een koets, de koetsier er al bovenop, een voorrijder al met brandende lantaren, en het portier uitnodigend opengehouden door een hofdienaar in blauw livrei.

Na de trage, zware koning stapte Wagner in, met snelle beentjes, bijna lenig. Het portier klapte dicht en de koets zette zich direct in beweging over het zorgvuldig van kuilen ontdane stuk weg. Toen ze de hoofdweg hadden bereikt floot de trein, zette een krijtwit uitroepteken in het maanlicht als groet, de koetsier riep 'huuahh' en de paarden vielen in draf. Wagner schikte zich wat behaaglijker in zijn hoek, niet onopvallend maar de koning zweeg, breed, zwart en zwaar, de matglanzende cilinderhoed op de schuddende schoot. Wat ging er om in die kolos? gezien de begroeting bij de trein leek het een wat berispend zwijgen waarbij het koninklijk hoofd bol en bleek achteroverleunde in de kussens met gesloten ogen. Nu en dan streek er licht door de coupé door een lantaren buiten, zodat Wagner met schuwe blik de vorst kon opnemen. Het was een bleek, wat pafferig zwijgen dat daar zat, en voor het eerst zag Wagner Ludwig met een baardje. Afgezien nog van het zwijgen was ook de baardgroei licht verontrustend. Het was geen bruisende viriele groei, met moeite getemd in krullen en punten, maar een wazig dun pluis zoals bij ernstige zieken die de kracht missen zich te scheren en er ook geen heil meer in zien om dat te laten doen.

Mistroostig zag de componist de maanverlichte straten voorbijglijden, de bomen, hier en daar wat huizen in de donkere heuvels, een wijd land. Groot ook was de afstand tussen hen geworden voelde hij, veel oud zeer lag tussen hen in dat maar niet slijten wilde: zijn krenkende verbanning destijds uit München, de hele affaire Cosima, die verdomde eigenzinnige *Rheingold*opvoering en ook Bayreuth. Ondanks het herhaaldelijk levenreddende ingrijpen van de Kabinetskassa had de koning hem diep in zijn hart nooit vergeven zijn eigen tempel te hebben gebouwd uit de puin- en brokstukken van Sempers Festspielhaus. Zeker, ze hadden beiden de pest aan München maar toch... Hij begreep dat best maar wilde zijn nek niet meer breken over nog zo koninklijke voeten. Die separate *Rheingold* was genoeg geweest, gillend van plezier waren ze hem naar de keel gesprongen, hij die hulpeloos was, zich alleen zou hebben kunnen verdedigen met een complete *Ring*, die gesmeekt had geduld te hebben totdat het hele werk klaar zou zijn. Van zijn hart had hij ook geen moordkuil gemaakt, verbitterd aan zijn Koning geschreven en geen hymnen zoals in vroeger tijden maar met een pen gedoopt in vitriool: '... waarmede Gij dit kolossale werk hebt teruggebracht tot het niveau van een ellendig abonnementsrepertoire en tot een weerloze prooi van dito recensenten...'

O ja, afstand was tussen hen gekomen, hij kon zich ook te veel te precies herinneren. Von Bülow geteisterd door onwil en te weinig tijd ging af als een gebroken man, Hans Richter op en overal hadden ze naar zangers moeten zoeken om die *Rhein-gold* maar op te vullen: Stuttgart, Darmstadt, Mainz, Kassel, Brunswijk, Berlijn, Schwerin, Hannover. En iedereen wist ook van hun moeilijkheden, hoe ze de Rijndochters wilden laten zwemmen en van die achttien niet te tillen aambeelden. Een zwerm oogfonkelende vreemdelingen was neergestreken uit Frankrijk, Italië, Engeland, Rusland, iedereen gniffelde, de Maximilianstrasse wemelde van de Wagnerianen en anti-Wagnerianen, musici, zangers, dichters. De cafés tegenover het theater leken legerkampen, daar oefenden en tierelierden zelfs twee Walküren, de een donker de ander blond, beiden mollig, gespierd en gehelmd, iets voor de liefhebbers. Liszt was er geweest, zwart en slank als een Abbé, aan zijn arm de verwelkte gravin Kalergis zus of zo, eens schoon en beroemd, toen geel. O ja, Kalergis Muchanoff, aan haar had hij nog zijn brochure over de joden opgedragen, was ze tenminste ook onsterfelijk. Toergenjev was er verschenen, overdreven harig en breed als een boer, ook met een juffrouw en Saint-Saëns met zijn fijn gesneden ivoren hoofd, en ook hijzelf, maar ongezien, onherkenbaar besnord, bepruikt, geschminkt, maar zwetend van woede. Het verloop had voor de hand gelegen; succes matig tot zeer matig; *Landbote, Freie Presse...* duim naar beneden, die verdomde Hanslick idem. Tafereel na tafereel ontrolde zich weer opnieuw voor zijn geestesoog, zijn 'kind der smarten', de toch zo etherisch bedoelde 'Regenbogbrücke', Heer sta ons bij! die had gedonderd en gedreund onder de voetstappen als een paukenvel, zijn godenburcht verzakt in ongoddelijke plooien, rollende, krullende dampen en wolken waarin hoestende zangers te horen waren en dan de onhandelbare houten wagens met omwonden wielen waarin en waarop drie verwilderde Nixen rolden en golfden. Uit Triebschen had hij getelegrafeerd: 'Slecht! schandaleus! onbekwame kakofonie! enscenering onwaardig!' Ludwig razend... daarbij nog de affaire Cosima. Toch wat bezorgd peuterde Wagner in zijn neus, zijn geheugen was goed en het zuur der ergernis had dat allemaal diep in zijn brein geëtst.

'Der grosse Componist Rumorhaufen... und die Fürstin Bitz-
libützli... (Cosima?, dat was dan weer eens wat anders dan
"Madame Hans" of "die Brieftaube".) Der grosse Componist
Rumorhaufen liebt die bequeme Verbindungen mit dem Ori-
ent (Indische, Persische Teppiche). Das ist eben das Wunder-
bare, bei allem orientalischen Geschmack und Sybaritismus ist
er doch der echte Representant deutscher Kraftmusik.' Zo
stond het in de *Punsch*, iedereen kon het lezen, toen, nu, altijd.

Wagner gluurde opzij, de koning schudde zacht en zweeg.
Zestig schooljongens uit een naburig kindertehuis zouden in
ieder geval de volgende avond deze zwijger opwachten op het
toneel en hun castratoïde gillen doen opstijgen uit Nibelheim
op het knallen van Alberichs zweep. Een simpel opus, de
Rheingold, nog ver van de *Götterdämmerung* verwijderd, een
zangspel nog vol onversneden goden, wat onbehouwen maar
doorzichtig. Die Münchener *Punsch* had eigenlijk niet eens zo
ongelijk met dat treiterversje toen dat hem zo lang had achter-
volgd met, wonderlijk genoeg, een Loge-stem. 'Am Ufer ist
mein Stelldichein, Im Sandgeröll und Sonnenschein. O Wonne-
ort, O himmlisch' Glück, Nur ungern tauch' ich stets zurück.'

Ook wel degelijk reden voor satire in die opera. Maar alles
pril, nog in het begin, die Rheintöchter waren nog maar gie-
cheltjes. Hij had alleen nog maar alles klaargelegd: blokken
mythologisch erts, metaal en vuur, rancuneus en giftig dwer-
genbloed, hebzucht, geilheid, geharnaste taal verpakt in prachtige gebaren en bazuingeschal. Spitsheid, spot, moordend sar-
casme waren nog in voorbereiding, lagen nog gewikkeld in
gladde en wollige drieklanken, maar de muziek hunkerde al
naar de woelende *Tristan*chromatiek. Een opera om van grote
hoogte op terug te zien... o die zwijnerij...

Ludwig ging met een rukje rechtop zitten maar Wagner,
wrokkig verloren in het verleden, liet zijn blik over het maan-
landschap glijden in de diepte der jaren. Eindelijk voelde ook
hij naast zich beweging, hoorde een diepe zucht en hij vroeg
zich af wat, God weet gedragen door een even goed geheugen,

de overwegingen van de koning waren geweest na zoveel jaren scheiding en het onvermijdelijk weer steken en schrijnen van oude wonden. Hij beluisterde een boertje, wat onverstoorbaar gemompel, waarna een geeuwtje en een volle, niet onvoldane stem: 'Das war ein gutes Essen... ein sehr gutes sogar.'

Voor de repetitie van *Rheingold* die de volgende avond om zeven uur zou beginnen beval de koning, blijkbaar goed geïnformeerd, de weg over Bürgerreuth, een bij alle overwogen mogelijke routes tussen de Eremitage en Bayreuth toch nog verrassende, zodat ze redelijk ongestoord het theater bereikten. Eenmaal voorgereden negeerde Ludwig de hoeden die de hoogte in gingen, ook het 'Hoch der Kaiser, Hoch Bayern!', monsterde met duistere blik voor de eerste maal het kolossale houten en rood stenen gebouw en bekeek ten slotte met licht knikkend hoofd het geweldige met bloemen versierde doek waarop in grote letters: 'Ehrt Eure deutschen Meister dann bannt ihr gute Geister.' 'U heeft een sterke wil,' zei hij ten slotte tegen Wagner die devoot en met neergeslagen ogen naast hem stond, 'daarin heeft München pech gehad.'

'Deze keer was de wil scheppend als nog nooit, want het was de wil van een koning,' antwoordde Wagner terwijl hij zich fier oprichtte, maar hij mompelde er licht bezwerend achteraan: 'Hoe ook de grote Schopenhauer over deze formulering moge denken.'

'Ach,' zei Ludwig het gebouw afloerend, 'vroeger spraken wij vaak over dat soort zaken.'

'Ja,' zei Wagner, 'vroeger.'

Toen ze de loge betraden klonken helder driemaal de fanfares, afgewisseld met een paukeroffel en een hoffelijk knakkende Richter, één arm telkens wat potsierlijk zijwaarts uitgestrekt. Ludwig groette vaag in de geweldige, luguber lege ruimte en ging zitten. De enig andere aanwezigen, majoor Stauffenberg, kabinetschef Ziegler en graag Holnstein aus Bayern onttrokken zich op een wenk als gebukte silhouetten ergens opzij aan het gezicht.

'Vroeger,' zei Ludwig opeens week en sentimenteel door de vreugde over de komende voorstelling, en zich verder naar Wagner overbuigend, 'wij zaten urenlang in elkaar verloren en voelden ons gedragen door een goddelijke liefde.'

Terwijl de componist naar een antwoord zocht zonder bitterheid zag hij het donker worden in de zaal en het gordijn opgaan over de Rijndochters. Al direct geboeid volgde hij de frêle aangolvende melodie van horens en harp tegen een spel van groen oplichtende banen met aandachtige, even geheven hand. Plotseling leunde hij naar voren, scherp staken opeens buiten de loge zijn neus en oudewijvenkin af en even scherp klonk ook zijn stem: 'Maar piano... piano... dat moet toch voorzichtig delirerend overkomen in snaar en koper, als uit een andere wereld.' De muziek aarzelde, stopte, begon opnieuw. Langzaam leunde Wagner weer achterover: 'Goed... goed... zeer schoon.' Een hand raakte zijn mouw en opzij keek hij in het niet onvriendelijke gezicht van de koning die baardig, met grote donkere ogen en ver opgetrokken wenkbrauwen de vinger met een plechtig gebaar op de lippen legde.

Wagner glimlachte verontschuldigend, legde even een van warme gevoelens getuigende hand op het hart en zakte daarna wat dieper weg in zijn stoel. Hij zag het goud opglanzen in de groene diepte en dacht: 'Vroeger ja...' een vroeger waarin hij herhaaldelijk had gezegd dat zijn opera's geen gewone theatervoorstellingen zouden zijn. 'Van ver en van dichtbij zal ik alleen mijn vrienden uitnodigen voor mijn kunst en het zal een ongekend feest worden.' Een vroeger van de eerste *Tristan* en misschien wel de gelukkigste tijd van zijn leven. De repetities in zijn huis aan de Briennerstraat, beschut door zijn koning, verwarmd door zijn vrienden, vervoerd door zijn muziek. Was er een heerlijker thema denkbaar dan dat van de dood, tussen goede vrienden? Hij groeide en bloeide, een speels genie was hij geworden die zijn zangers snikkend omhelsde en kuste en soms tuimelde hij bedwelmd achterover met gesloten ogen. Hij was ook losjes geworden was hem verteld, leniger in alle gewrichten, zodat hij op zijn hoofd had gestaan op de sofa, onder de piano was gekropen, de tuin ingerend en kraaiend in een boom geklauterd: 'Seht ihr's Freunde... seht ihr's nicht?' Was dat Wagner geweest, ja hij was het geweest, hij had in zijn Schnorren geknepen, noemde ze zijn leeuwen, zijn menagerie, greep met volle hand in hun overdadige vetrichels en de koning had een maagcatarre gehad. Ze waren voor hem komen zingen in het paleis; eindeloze gangen, opeens een kamer, slecht verlicht. Ludwig, onzichtbaar, lag achter een scherm en men had hem ontroerd horen woelen en steunen. Vroeger.

De terugweg was afgesneden, dat wil zeggen de hele ruimte tussen het theater en de Eremitage was volgelopen, maar Ludwig, verhit en murw door de orgelende gouden klanken van Rhein en Walhall, van mythos, gestus, pathos en Wotans waarlijk goddelijke zelfverloochening, glimlachte droomverloren tegen de wereld.

Na de voorstelling waarin hij niet van een roofridderburchtje maar van een Walhalla had kunnen genieten dat waarlijk het gesternte met wolken en gletsjers verbond staarde hij vergevingsgezind 'ins Nibelheim'. 'Goed, hier is jullie Ovationsopfer dan,' en mild grijnzend wiegde, wuifde en knikte hij voor het raampje. Hij zag de hoofddeksels de lucht ingaan: 'Leve onze Koning... hoog!!' geestdriftige monden, onder handbereik, griezelig dicht bij de koets, erachter de kleurrijk verlichte huizen.

Als een koepel stond het roze licht boven de stad, hier en daar sisten en knetterden vuurpijlen. Ludwig glimlachte, of lachte met even een snelle hand voor de bijna tandeloze mond. Hij wuifde en sprak hen toe: 'O, jullie geestelijk gestagneerden, in duffe sibbezucht verklonterd en verkliekt.'

'Leve... hoog... Koning!!... hoera!...'

'Alles geborneerdheid wat ik zie, remplissage, insektensekten. Wat dunkt u Richard, zal dat daar ooit nog eens revolutie maken? Steeds driester en schaamtelozer wordt het rapaille, straks zal het helemaal niet meer te beteugelen zijn en dan ongetwijfeld hetzelfde gebrul uitstoten. Toe maar, straks komt jullie keizer Wilhelm ook nog met zijn weidse balg vol bonen, snaps, spek en dobbelstenen...'

Ziegler, tegenover de koning, zat als verstard, Holnstein onbewogen. Wagner glimlachte beschaamd als voelde hij zich door allen betrapt. Toch nog een geniepige toespeling op de toneelrebellen van negenenzestig, Richter en Betz? Het was niet waarschijnlijk, eerder leek Ludwig ten prooi aan een lichte ontremming, een euforie. En het volk juichte en zwaaide: Jägerstrasse, Opernstrasse, Markt, Schlossplatz, Ludwigstrasse, Rennweg, Eremitage. 'Nu is het wel genoeg met de jubelsymfonie,' zei Ludwig toen ze de poort door reden, 'om te kotsen.' Na het afscheid trok de koning zich terug maar verzocht hem nog diezelfde avond de figuren te brengen die Emil Döpler van de *Ring* had vervaardigd, en die in de Bayreuther Kunstverein waren tentoongesteld. Vrij spoedig echter begaf hij zich weer naar het park om rustig en nadenkend heen en weer wandelend te wachten op het souper dat in de tuin zou worden opgediend. Hij leek diep in gedachten, maar bestudeerde toch in het voorbijgaan even het menu, en toen de oppermondkok later even kwam kijken voor alle zekerheid, verhit, met glanzende ogen en onrustige handen, nam Ludwig hem apart bij de lamp en wees met de vinger op de met gouden krullen versierde menukaart: Diner de sa Majesté le Roi.

'Filets Mignons de veau à l'Allemagne, wat is dat?'

'Majesteit, het meest malse vlees van het kalf, het ligt direct onder de rug.'

'Waarom heet het à l'Allemagne?'

'Omdat het in de Duitse nationale kleuren met truffels, spek en rode tong is gelardeerd Majesteit.'

'Bestaat dit gerecht ook à la Bavière?'

'Nee Majesteit, voor de Beierse kleuren zou blauw nodig

zijn, dat men voor dit doel niet kent.'

'Ach so,' zei Ludwig en wandelde weer verder, de handen nadenkend op de rug. Na het uitgebreide souper hervatte hij zijn drentelgang, de armen wat vadsig van het lichaam af, zacht en loom heen en weer schommelend. Nu en dan probeerde hij brommend en hummend het bronzen Walhallathema met breed scanderende gebaren.

De maan, tijdens het eten opgekomen, scheen vol en rond en zette de tuin vol donkere bomen, blauwe schaduwen en witte vlakken. Op de tafel waaraan hij had gezeten brandde vredig de lamp in een grote rood en groen beschilderde perkamenten bol. Iets van de tafel af, tussen de struiken, was een Japans scherm opgesteld omflonkerd door kleine lampjes. Het park geurde, groen, zwart en diep, het was windstil en nu en dan vloog een insekt tegen het lichtende perkament met een droge tik.

Ludwig, vol voedsel en vrede, verwijderde zich niet ver van de verlichte tafel, zo'n twintig passen heen en dan weer terug, maar het werden wel vreemde passen. Door de stilte en mensenleegte van het park, het licht van de maan en wat hij voelde en dacht werden zijn passen steeds wonderlijker: de voeten tilde hij veel hoger op dan normaal, waarna hij het been met een ruk zijwaarts en omlaag liet vallen, zodanig dat de punt van de schoen het eerst de grond raakte met een even draaiende beweging alsof tegelijk een insekt werd vermorzeld. Het onnatuurlijke van deze bewegingen gaf de pas iets marionetachtigs maar, door de omvang en grootte van de zwarte gestalte, ook iets griezeligs, te meer daar Ludwig ook met het hoofd wonderlijke draaiende bewegingen begon uit te voeren op weer een ander ritme, waarbij hij het eerst achterover liet kantelen zodat zijn gezicht bleek oplichtte in het maanlicht en het daarna sterk opzij en vervolgens naar voren liet rollen. Het was de koningspas, veel befluisterd en besproken, slechts door weinigen gezien maar nu in het volle maanlicht uitgevoerd en bekeken door een in de struiken verborgen Richard Wagner. Een zelfde

Wagner aan wie de koning, datum van aankomst en vertrek verklarend, had geschreven weer weg te willen zijn voordat alle gekroonde hoofden met hun aanhang zouden binnenstromen: 'Ich komme nicht um neugierigen Gaffern mich zu produzieren und mich als Ovationsobject herzustellen.'

Wagner aarzelde, gokte op maanlicht, *Rheingold* en postfage vrede en gaf een teken waarna van achter het zacht gloeiende Japanse scherm als door een wonder een meerstemmig lied opsteeg, door verrassing, park en lampjes van een bovennatuurlijke pracht. Aan de onderkant vast ondersteund door de prachtige *Rheingold*bas Betz, en van boven helder versierd door Mathilde Mallinger kregen weemoed van de zomeravond, verlangen, verleden en eenzaamheid vorm in een oeroud minnelied.

> *Dû bist min, ich bin dîn:*
> *des solt du gewis sîn.*
> *dû bist beslozzen*
> *in minem herzen:*
> *verlorn ist das slüzzelîn:*
> *du muost immer drinne sîn.*

De koning verstarde traag en langzaam, nog even bewegend met hoofd, voet en hand, maar daarna stolde hij tot machtige gestalte in zilveren maanlicht. Het hoofd wat schuin naar het scherm gekeerd werd hij tot een zwarte kolos waaraan een bleek gezicht en een bleke hand. Zo luisterde de koning het lied ten einde, waarna de zangers, van tevoren goed geïnstrueerd, wegslopen zonder gekraak van takken, geroep of gestruikel zodat om het oude lied de stilte heerste die het verdiende. Uit het donker, als het ware uit het niets trad Wagner met enkele snelle passen te voorschijn, opeens stond hij naast de koning, zo plotseling dat hij nog duidelijk bij het lied hoorde. Maanlicht verdeelde hem in lichte en donkere stukken: lichte smalle pantalon, zwarte sterk getailleerde rok, lichte sjaal, donkere zwierig schuin opgezette hoed met opvallend brede rand.

'Genadige Vorst... edele vriend!' maar de koning hief de hand op gelijk een dirigent en de componist zweeg ontroerd en vol begrip.

'Nu, u had dat niet mogen doen,' zei Ludwig na een poosje, het klonk wat geperst en metalig alsof de zin er onder hoge druk uitkwam.

'Maar mijn koning... men heeft u immers lief.'

'Neen, neen! ik bedoel gisteren... aan de trein... en ik wil dat gezegd hebben.'

'Aan de trein?'

'En ongevraagd!... ongevraagd neemt men niet plaats naast een koning... U weet heel wel dat ik dit soort plebserijen niet honoreer, dat is klein kaliber.'

Wagner, nog vaag bezig met eerbied en liefde, bereidheid en genegenheid van vermoeide zangers, begreep in een flits de betekenis van de koningspas, zag zijn uitgestrekte armen opeens dwaas in de lucht hangen en in zijn verbluft hoofd tekende zich helder, alsof een vinger het krijtwit kalligrafeerde de gedachte af: 'Herr Jesus... ist der da einsam...'

In Wahnfried begaf Wagner zich nog diezelfde nacht naar zijn studeervertrek: satijnen muiltjes, fluwelen kamerjas, sjaal van de zachtste zijde waaruit de lichte geur opsteeg van Parijse zeep. Dienaar Franz dempte het licht en legde het in donkerbruin Marokkaans leer gebonden dagboek op de schrijftafel, zich geruisloos en op de tenen verbazend over het bijna kwijnend zwakke verzoek hiertoe. Traag op zoek naar de laatst beschreven bladzijde bladerde de meester verstrooid door wat jaren heen maar kon opeens de verleiding niet weerstaan een volkomen willekeurige bladzijde van het verleden in de lichtkring van de lamp te leggen.

10 Nov. 67. Veel ongeluk op de wereld. Spoorwegongevallen, overstromingen, sneeuwstormen op de Gotthard. Overal aardbevingen.

2 Dec. 67. Zwabisch kamermeisje. Veel doodsberichten,

sterfteregister aangelegd.

Fronsend sloeg Wagner een paar bladzijden om.

4 Juni 68. afschuwelijk onweer, uren van grootste schrik en ontzetting, Cos. steeds maar weer opgesprongen uit de stoel. Mars door de modder, lantarens, ingestorte brug, door het water. Hotel de Post. Met Cos. in een kamer. Aanhoudende zondvloed, verdergaan met wagen onmogelijk. Drie boze maar diepzinnige dagen.

7 Juni 68. nog steeds onophoudelijk stromende regen, Cos. in regenmantel.

21 Juni. eerste opvoering *Meistersinger* (Hofbräuhaus), tersluiks in de loge van C. Bij de koning geroepen tijdens het voorspel, moest aan zijn zijde de m.s. in het openbaar aanhoren. Zeer vermoeid en uitgeput. C. verdrietig dat ik niet bij haar ben gebleven. Mijn herinneringen aan Schnorr, warwinkel van gevoelens en sentimenten, steeds nieuwe moeilijkheden. Onuitsprekelijk liefdesverdriet.

Wagner doopte de pen in de fraaie inktkoker van chrysoliet, zette de punt op de rand van de bladzijde waar nog ruim plaats was, wachtte op de impuls en schreef toen: 'Armer Ludwig, armer König. 6 Aug. 76.

Ludwig ontwaakte met tegenzin, traag oogknipperend staarde hij uit de lauwe warmte van zijn ingerold lichaam naar buiten, naar een zoldering vol hard en energiek balkwerk. Langzaam draaide hij het hoofd wat opzij en bekeek voorzichtig het bleekroze namiddaglicht, daarna legde hij berustend de handen gevouwen op zijn warme buik. Onder die vrome handen lag hij in bed, waar omheen een geweldige ruimte van gangen, binnenplaatsen, oprijlanen, bergtoppen en een station. En Wagner was dood, stijf, koud en met blauwe nagels weefde hij leegte tussen alle dingen, drukte op de borst en wees op de mateloos wijde en waterige namiddag. Doodslicht drukte tegen de ruiten, grijs licht lag over de trappen en terrassen als eens in zijn jeugd, taai licht droop van de bergtoppen.

Aan de walmen van een boertje kon hij ruiken dat hij de nacht tevoren te veel had gedronken, hij herinnerde zich veel cognac, veel Hiesheimer en nog wat, de flessen stonden overal klaar op de tafeltjes waar hij langs liep of langs zou kunnen lopen terwijl hij ijsberend herinneringen van zich afsloeg als herfstdraden in een bos. Lenteflarden Triebschen, pianomuziek, stukken *Meistersinger* over de zonnige tuin met de rollende newfoundlander Russumuck... het *Parsifal*voorspel, hoogtonige muziek vol ernstige gebaren, maar eenmaal overeind gezeten in de namiddag, op de rand van zijn bed woelden uit een ontstemde maag en een dof hoofd weer andere beelden vrij. Wagners grote hoofd, zijn te lange bovenlijf, zijn te korte beentjes, de veel te witte broek bij de eerste trillende ontmoeting in Berg waar hij zo ongemakkelijk klein bleek bij het aan de borst drukken. De handen van Cosima, te dun en te lang, de geur van de middagen in Berg met de zon op het meer, de muskusgeur en het oude gezicht van de meester in Bayreuth, in het lamplicht van de loge, opeens die ingevallen mond, de brede neuswortel en die rimpels om de ogen waar de huid zo viezig dun was, bijna wond. Alles nu dood, stijf als kaas, gekist en in ontbindingsgeuren door München gereisd terwijl hij heen en weer liep en dronk en uitkeek over de lege terrassen en tuinen die zich uitstrekten van de *Lohengrin* van toen tot aan de eigen, verre en onvoorstelbare dood. Wat een gruwelijke leegte... 'wird der Fürst sich finden der die Aufführung meines königlichen Begräbnisses ermöglicht...'

'Hoppe!' ondanks de ruk aan het schellekoord riep de koning want belangrijk is zo'n naam die als eerste in een dag wordt geroepen, en daar was Hoppe al, bijna geruisloos maar direct kamervullend. Wit zijden korte mouwen die zijn mollige onderarmen goed deden uitkomen, borstwelvingen, navel en golvend buikdeel zoals altijd voluit zichtbaar door kunstig ceintuur- en strikwerk, alles vol, vlezig en roomblank. Met eigen kapsel, hoog getoupeerd, hazelnootbruin, aura van de ochtendzon eromheen, belichaamde hij al op indrukwekkende wijze zijn kwaliteit, maar was verder ook nog in staat op raadselachtige wijze met bewegingen en gebaren alle geuren te vertegenwoordigen die zijn talloze flacons konden uitstorten. Een friseur voor een snikkend, gezichtverbergend ontwaken. Hoppe, een zesde zintuig aan iedere vingertop, oogflitsend onder de altijd serviel geloken oogleden stroopte troostend de lauwwarme nacht van de koning af, zo drukkend vol van Wagners lijk en op hem toereizend dodenmasker en ondersteunde zijn koning de treden af, door het badvertrek van de koningin-moeder in de leeuwentoren en weer een paar trappen op, als een zieke. De gepolijste roodmarmeren badkamer voerde hij hem in, eens van wijlen Max, nu verfraaid met torsen van helden en goddelijke reliëfs. Een rode lauwe holte was het waar Hoppe de nog slaapwarme koning waste op die rouwmiddag, hem schuimend bedekte met een keur van uitgelezen zepen, een virtuoos oriëntaals bouquet vol ongekende en jubelende verrassingen, neervlokkend in het grote gedreven koperen bekken waarin de koning stond, en weer omhoogspetterend naar vorstelijke neusgaten. Maar nog veel dieper drong Hoppe door, kwasten en borstels van diverse hardheid had hij tot zijn beschikking, een diabolisch arsenaal van strelingen: voor de binnenkant der dijbenen, voor de schuimende en roze regio om het koninklijk lid, bilplooi, lendenstreek en oksels en nog een harde kroelende kras voor de rugpartij. Maar de onvergelijkelijke Hoppepalmen vol diepzeebezweringen waren speciaal voor nek, hals en borst.

Na de overgietingen en het drogen met de warme doeken strekte de monarch zich uit op een rustbank voor de frottage en de massage. Behaaglijk en roze rekte hij zich en zei, nog nageeuwend met glazen stem: 'Nu!' Bulbeus en onwaarschijnlijk naakt lag hij op de bank, staarde naar de rode bedauwde marmeren zoldering en de daarover zijwaarts parelende druppels en wachtte.

Hoppe, geruisloos en golvend verdwenen, keerde evenzo weer terug, maar nu in het gezelschap van graaf Von Lerchenfeld, de vleugeladjudant, een wat droge beambtenziel, 'ein geborener Rückschrittler' volgens Ludwig, wiens betrouwbaarheid echter spreekwoordelijk was. Lerchenfeld zag al bij de eerste blik geen ander verweer dan alle gemoedsbewegingen stop te zetten, hij boog diep onder aan de rood marmeren treden, nam de beslagen bril af en volgde bijziend en onzeker de aanwijzingen van Hoppe die hem beduidde zich achter een in de hoek geplaatst kamerscherm op te stellen. 'Hoe was het?' klonk het temerig van de bank.

'Plechtig, zeer plechtig Majesteit,' zei graaf Von Lerchenfeld, die aannam dat de vraag tot hem gericht was en door de wat koortsige oosterse taferelen van het scherm heen vrij uitzicht trachtte te krijgen op het rouwomfloerste station van München.

'Verder maar, verder... met curiosa.'

'Het station was geheel zwart gedrapeerd,' zei Von Lerchenfeld, die niet goed wist wat de koning het eerst wilde horen, 'opgesteld stonden de zangverenigingen met omfloerste vaandels. Vooral viel een groot treurvaandel van het Münchener Kunstgenootschap op,' achter het scherm was het geritsel van papier te horen, 'een vaandel dat gedragen werd door Gabriel Schachinger, een zeer bekend schilder naar men mij verzekerde. Ook was er een deputatie van de Duitse Zangvereniging, de Hofopera, de leden van de Richard Wagnervereniging, de Orde van de Heilige Graal.'

'Dat tintelend dekokt met bokkegeur voor de Varicourtpartij,' teemde Ludwig, 'je weet wel Hoppe, de benen en de globulen der popo. Ach mijn cavalerieofficier... gezegend de drager van zo'n naam. Als ik hem zag werd ik helemaal warm van binnen naar buiten en weer terug. Souperen deed ik altijd laat met hem want ik wilde hem zien in de nacht, tegen het velum van de nacht... Verder Lerchenfeld! en met emfase.'

'Met Uwer Majesteits verlof waren er de prachtige kransen en linten en de dames en heren uit de hoogste kringen. Ook de nicht van de componist, mevrouw Wagner-Jachmann.'

'De Varicourt, De Varicourt... moe van het eten, de wijn, de kazernedienst, het kaarslicht, viel in slaap en ik riep "De Varicourt! je slaapt bij je koning!" Hoppe... Hopje... wat klonk dat verrukkelijk, maar het was zo gruwelijk. Verder.'

'De beeldhouwer Gedon ordende alle groepen, er waren brandende fakkels.'

'Nu maar de Richard Hornigstreek... mijn volbaardige Mecklenburgse Antinoös. Bleek en toegewijd, maar wat te machinaal. Net als Dürckheim, te veel leer en paardegeur en altijd op weg naar iets achter mij. Pak me maar flink Hopje, niet te veel scrupules, het mag een pietsje pijn doen, een bewijsje...'

Lerchenfeld kuchte: 'Toen de trein werd aangekondigd speelde de militaire kapel Beethovens treurmars, om twee uur dertig kwam de trein aan, de vaandels negen.'

'Als uwe Majesteit mij toestaat zal ik nu het doorluchtige buikgedeelte...'

'Goed, mijn Hopjen met je saterspraatjes.'

'Eerst een goederenwagon, onversierd, alleen het douaneopschrift erop: "Leiche nach Bayreuth". Daarachter een Italiaanse salonwagen met de familie.'

'Leiche nach Bayreuth?'

'De lijkwagen werd naar de derde hal gerangeerd en met bloemen versierd. De kroon van het Münchener Kunstgenootschap was drie meter in doorsnee. Op het lint stond "Erlösung dem Erlöser".'

'Leiche nach... Hoppe!'

'Majesteit.'

'Er werd niet gesproken op verzoek van mevrouw Wagner, enkele vrienden hielden de wacht bij de wagon. Om vijf uur vertrok de trein, treurmars uit de *Götterdämmerung*.'

'Kleed mij Hoppe, maak mij mooi.'

Na enige tijd van geschuifel en stappen klonk de donkere stem van de koning: 'Hoppe.'

'Majesteit.'

'Ik geloof dat ik ween. Spiegel.'

Hoppe hield de koning de spiegel voor: geel leren gezicht,

afhangende wangzakken als hamsterbuidels, belladonna-ogen, geverfde grizzley-baard, nagetrokken wenkbrauwen. Alles omlijst door geonduleerde lokken, hooggetoupeerd en hoogglanzend gelakt. Voorzichtig drukte Ludwig de wijsvinger tegen het rechterooglid en bekeek de vochtige vingertop: 'Als het satijn van Watteau, ach het is allemaal zo mooi en treurig. Nog iets opgevangen Hopje in mijn verkankerd München, van wat de vrijgeesten daar zeggen, al badinerende, al gekscherende?'

'Ja, iets is toch blijven hangen Majesteit, wat ik overigens niet heb gewild, maar het gaat me eenvoudig niet uit de zin.'

'Nu, spreek vrij uit de borst.'

'Als Uwe Majesteit mij toestaat dan ben ik justement zo vrij: "Fahr hin du schlechter Mensch und slechter Dichter, Und sei der Teufel dir ein strenger Richter".'

Ludwig haalde diep adem. 'Van minister Von Völderndorf,' zei Hoppe snel.

'Impayable.'

'Zeker majesteit.'

'Verder nog?'

' "So bist du hin, du Schwindler sondergleichen,/ Hat dich der Teufel endlich doch ergriffen?/ Du hast dein letztes Leitmotiv gepfiffen,/ Dem Himmel dank, jetzt musst du einmal schweigen." '

Ludwig keek weer in de spiegel: een naakt corpulent roze lijf, half bedekt door de mantel van koningsblauw en hermelijn, de dikke bomberende Hoppe aan zijn schouder, en langzaam vertrok zijn mond in een grijns. Een tijdje bekeek hij die grinnikende tandeloze spleet en sloot toen weer de lippen. 'Is ie er nog, Hoppe?'

'Uwe Majesteit bedoelt?'

'Die Von Lerchenfeld.'

'O ja, Majesteit.'

'Exileren.'

Toen de stappen waren weggestorven legde Hoppe in een impulsief gebaar een dikke vlezige hand op Ludwigs schouder, boog zich intiem voorover en fluisterde: 'Die Wagner... wat was dat nou voor een mens?' Het klonk samenzweerderig, vreemd uitnodigend, jaloers. Ludwig keek naar het nu licht omfloerste tafereel in de spiegel en zei toen met een wat hulpeloos gebaar: 'Dit alles hier.'

'Dit?'

'Ja,' zei Ludwig, 'dit, ein rauschhaftes Spiel mit dem Ende... jetzt noch was Eau de Bretagne als Après.'

Versailles

Het was met een vaag gevoel van onbehagen dat het ministerie van buitenlandse zaken kennis nam van Ludwigs plannen naar Frankrijk te reizen om daar, zoals hij het uitdrukte, de heilige drieëenheid te bezoeken der Lodewijken. Er waren ook wel concrete bezwaren, die men meer of minder zwaar kon laten wegen, maar in het algemeen werd Ludwigs duidelijke voorkeur voor de Bourbons als onduits aangevoeld, een gevoel waarin tegelijk de bevreemding lag opgesloten over dat wonderlijke bouwsel in de Alpen, Linderhof: een lustslot in Franse stijl met alle daarbij behorende associaties van ruisende fonteinen en zonnige promenades, dat zich echter driekwart van het jaar in de ijzige greep bevond van sneeuw en ijs.

Ook zwakkere ondertonen dissoneerden mee, zoals bij voorbeeld de herinnering aan de eigenzinnige reis van zevenenzestig, naar hetzelfde land en wel zonder verloofde Sohpie, een reis destijds gerechtvaardigd met 's konings grote interesse in de wereldtentoonstelling, maar die de beschamende 'Entlobung' toch maar had ingeleid, mogelijk gemaakt en onderstreept. En dan was er nog de oorlog van zeventig, zo vers in het geheugen, waarin de Beieren, sterk onderschat door de Pruisische legerstaf (die können uns nichts nützen, untauglich und undiszipliniert) zich hadden gerevancheerd voor hun nederlaag van '66, zodat, en wel onder dezelfde Von der Tann, 'die Bauernlümmel' zich hadden ontpopt als van alle goden verlaten gore varkensslachters, wat vertaald wilde zeggen als de dappere strijders van Weissenburg, maar in Frankrijk de galbittere nasmaak hadden achtergelaten van 'les soldats bleus'.

Allemaal bezwaren overigens die Ludwig niet eens bereikten, daar ze door Bismarck met een schouderophalen werden afgedaan: 'Ach lass ihn reisen,' zodat Ludwigs voormalige minister-president Chlodwig von Hohenlohe Schillingfürst, een wat aamborstige man, licht maaglijdend en met een open oog voor alle sombere kanten des levens, zich opmaakte zijn hoge gast, die incognito onder de naam graaf Berg op hem toereisde, te ontvangen.

Er scholen maar weinig mogelijkheden in Von Hohenlohe als gastheer, onder zijn minister-presidentschap had Wagner weliswaar naar München kunnen terugkeren, maar hij was beslist geen Wagneriaan, en dat hij was gewipt door de kille, ijzige, dunvingerige Bray, die eruitzag als een jezuïet uit een spotprent zei ook wel iets over Hohenlohe. Hij stamde uit een oud adellijk geslacht dat eens landgoederen had bezeten in het Rijnland, die echter verloren waren gegaan bij het stichten van de Rijnbond. Op het oog wat kleurloos, beschikte hij toch over een trefzekere, maar vaak wat raadselachtige taal; zo sprak hij verachtelijk over het Duitse vaderland als over 'die acht und dreissig Lappen', maar verdedigde zijn behoefte aan ambt en werk door te wijzen op de 'Schmutz einer mediatisierten Langeweile' die toch maar uitliep op een 'Sortierung von goldenen Dosen und Weihnachtsgeschenken'. De secretaris van de Beierse legatie Von Lindau reisde de koning aan de grens tegemoet en daar de reis een niet gering aantal uren in beslag nam kwamen bijna als vanzelf de voornoemde bezwaren aan de orde, al was het maar om de gedragingen van de koning preventief wat bij te sturen. Maar Ludwig, breed en goedgeluimd door zijn uitstapje, toonde zich verbaasd: hij voelde zich doordrenkt van Bourbons, werkelijk doordrenkt. Waren er geen onmiskenbare verbindingen tussen de huizen Bourbon en Wittelsbach, Lodewijk XIV, geprezen zij zijn naam, was bondgenoot geweest van de Beierse keurvorst Maximiliaan Emanuel die tegen de Turken vocht en Lodewijk XVI, wiens ellendig en onverdiend lot hem nog steeds in gram kon doen ontsteken, was peetvader geweest van Ludwig I, in Straatsburg waar zijn vader, de latere Maximiliaan I nog een Frans kurassiersregiment had gecommandeerd, en dan, het slot Nymphenburg waar hij zelf geboren was, dat steengeworden feest was toch ondenkbaar zonder Versailles. En verder... breed en definitief vielen

de zware handen van Ludwig op zijn dijen, boven alles toch ge-
loofde hij in de Gottesgnade en dus in de verwantschap der
geboren koningen, een met volk, een met God, daar kon geen
'bornierter Flachkopf' hem van afbrengen.

Door de warmte in de koets en het toegeeflijk schudden had
Ludwig zich zelfs op een gegeven moment duidelijk vertrouwelijk naar Von Lindau overgebogen, die zacht zwetend ver-
stijfde, en hem plechtig toegebromd dat Heilige Geest en be-
schermheer der doopakte hem zo heilig waren dat hij zich daarom voor een Bourbon hield, en dat hij, wanneer hij om zo te
zeggen de plompe kroon van Beieren wat in de hoogte kon rek-
ken, dat zeker zou doen, en viel er ergens aan zijn hof een le-
lietje te plaatsen, Bourbons symbool der zuiverheid, dan zou hij
dat niet laten. Maar hoe goedgeluimd de koning ook aanrolde,
toch lagen schaduw en huiver over het bezoek. Von Hohenlohe
kende zichzelf: een bemiddelaar van nature, een lezer van stukken, aantekeningen en vaktijdschriften, een bedachtzaam siga-
renroker in zijn werkvertrek, een man, snel gehinderd en ge-
stoord door geluiden in of buiten het huis. Een wat koele natuur met een voorkeur voor industrie en banken, van gezind-
heid Pruisisch maar niet ongevoelig voor literatuur en toneel
op daartoe geëigende tijden. Kortom geen onderhoudend cau-
seur, geen amuseur, geen begaafd gastheer. Bekend was het
verhaal, afkomstig van de koning zelf, die met Von Hohenlohe
gesproken had over de *Lohengrin*, op Linderhof, in de tuin terwijl het sneeuwde, ja, omdat het sneeuwde; de vlokken, had
Ludwig hoofdschuddend gezegd, smolten niet op zijn gezicht.
Uiterlijk leek hij met zijn tengere gestalte wonderlijk genoeg
op Bismarck: 'ruhig, fest und edel', maar verder vooral in de
zware oogleden en de gekwetst afhangende snor.

Op deze man nu drukte de last, niet alleen van de koninklijke
gast, maar ook van de koninklijke verjaardag en de mogelijk
daarbij vereiste festiviteiten zeer zwaar. Teenwippend voor zijn
raam staarde hij uit over de zonnige boulevard, een wereld vol
onbelaste koetsen, vrije mensen en zomers groen, en zag voor

zijn geestesoog nergens een voor die vervloekt ongunstig vallende verjaardag passende barokke vreugde. Enkele pogingen in de richting van officiële hulp waren koeltjes doodgelopen in vaagheden en vertrouwde wendingen, waarbij overigens wel werd opgemerkt dat het toch wel niemand kon zijn ontgaan hoe nauwkeurig de koning zijn bezoek had beraamd op het tijdstip dat president Mac-Mahon buitenslands was. Men kende de koning, zijn voorkeuren en eigenaardigheden, de *Figaro*, hoe incognito het bezoek ook was, schreef voor de gelegenheid dat de Beieren hun koning beslist uit een sprookje moesten hebben geleend, een muzikaal sprookje want in de oorlog zou de koning zijn dappere soldaten uitsluitend op de piano hebben begeleid. Als klap op de vuurpijl opperde het blad als aardige geste een heropvoering van de *Tannhäuser*, voor Parijs het debâcle van de eeuw.

Hohenlohe schreef systematisch alle mogelijkheden die hij had overwogen op een papiertje: Notre Dame, Louvre? impressionisten, *Phèdre* (ancien régime), overzag de schamelheid der aantekeningen en verzocht telegrafisch steun en overkomst van graaf Holnstein 'der Rossober', de ijzeren hand en knoet over het uitgebreide stalpersoneel en fabuleus in het onophoudelijk en minutieus versjouwen van de hele hofhouding, van pot de chambre tot en met de viooltjesbowl van het ene naar het andere paleis of naar de meest ontoegankelijke jachthutten in de bergen. Jarenlang vertrouwensman van de koning, subtiel bemiddelaar destijds in de woelige Münchener tijden tussen Ludwig en Wagner, niet minder lenig en behulpzaam in de periode Ludwig-Sophie. Allemaal aantrekkelijke voordelen die tegen het nadeel, namelijk de dubieuze rol die Holnstein had gespeeld bij het tot stand komen van de beruchte 'Kaiserbrief' na de veldtocht van '70 zeker opwogen.

Graaf Holnstein zegde toe, stelde echter als voorwaarde dat zijn naam niet zou worden genoemd. Hij benadrukte in zijn antwoordtelegram toewijding en hoogachting voor de koning maar wees ook op de verkoeling van de laatste jaren en eiste verder carte blanche wat betreft zijn activiteiten en ook dit laatste was een van de schaduwen over het bezoek.

De koning had laten weten prijs te stellen op een intiem souper na zijn aankomst, hetgeen kort en goed wilde zeggen: geen gasten, geen 'Leute womit gepappelt werden musste'. Maar zelfs een ietsje over de schreef gaan zat Von Hohenlohe al niet mee, daar de enig mogelijke gast die het koninklijk incognito niet zou aantasten, Freiherr von Pranckh, op dat moment toevallig in Parijs, zich liet verontschuldigen wegens 'Unpässlichkeit', tegelijk menend Von Hohenlohe hiermee niet al te zeer in de steek te hebben gelaten daar zijn aanwezigheid toch maar pijnlijke herinneringen op kon roepen aan de vredesonderhandelingen en de verwikkelingen rond de Duitse keizerskroon destijds in Versailles.

Dus moest Hohenlohe het doen met de intens dunne conversatie van Lindau, ongetwijfeld al onderweg met de koning opgesleten en zo lang en grüblerisch had de broze diplomaat over de koning en het knellende probleem van zijn lijfelijke aanwezigheid nagedacht, dat het hem eigenlijk verbaasde toen hij het allemaal in werkelijkheid zag omgezet. Een werkelijk rijtuig reed voor, overijverige hofdienaren sprongen te voorschijn uit het volgrijtuig, kwiek, lichtblauw en vreemd afstekend tegen de boulevard, zodat ze inderdaad uit een sprookje afkomstig leken. En ook de koning zelf, breed en naar het leek vol plezier en beweging in zijn zwarte, zware jas en parelgrijze, elegante cilinder. Werkelijke stappen, stemmen, geur van parfum, een heel groot, bleek gezicht, dromerige ogen en een opvallend weke handdruk.

Ook de minuten werden nu werkelijker, hoekig, traag en hard. Hohenlohe, hoewel diplomaat van stijl, bezat bij al zijn positieve eigenschappen niet het geringste talent voor wat de Engelsen 'small talk' noemen, een zwaarteloos en moeiteloos naar alle richtingen kabbelend gebabbel dat de geest streelt, de tijd doodt en niemand stoort, en hij wist maar al te goed hoe onberekenbaar somber en loodzwaar de koning kon zijn zonder dat ook maar ergens een reden viel aan te wijzen.

Maar de planeten draaiden langs gunstige banen, de koning, vermoeid van de lange reis, trok zich direct terug in zijn kamers en in de avond werd hij, licht opgewonden door de aanwezigheid van de metropool, iets verhit door de Franse gewoonte van enkele apéritifs en verder zorgvuldig bediend met uitgelezen wijnen en een zeer uitgebreid souper, in hoofdzaak zijn eigen amuseur.

Terwijl de koning ongedwongen sprak over de invloed van rode wijnen op de stoelgang en de geslachtsdrift, die van witte op steenvormingen en jicht, over het verband tussen wit vlees, migraine en neuralgie, rood vlees en attaques, eieren en hinderlijke winden en druk op de lever, en de ellende van alle nagerechten, hete zowel als koude, op blootgekomen tandhalzen ontrolde zich onder de onbewogen gezichten van Hohenlohe en Lindau de eerste uitlopers van een door het ondersteunend koninklijk keukenpersoneel (onder anderen de hofkok Hierneiss) opgeroepen gastronomisch landschap van ongekende afmetingen. Er was een Crème de Gibier à la Reine, een Tête de Veau en Tortue met truffelschijfjes, vertelde de steeds weer opnieuw wat geschokte Hohenlohe later. Zelf had hij, licht maaglijdend, van alle schotels slechts kunnen nippen maar toch was hem maar weinig ontgaan en hij herinnerde zich nog levendig de gigantische champignonschotel met eierschijfjes en fleurons, een pastei met een Cumberlandsaus waarin vele, vele snippen ten onder waren gegaan, een omelette soufflée, nog nimmer geproefde kruiden en kreefteboter in de vorm van Franse leliën, en ook enkele fazanten in spek gewikkeld en opgediend in luchtig geklopte bessengelei. Ook het nagerecht was het blijvend geestelijk eigendom van de ambassadeur geworden: een geweldige hoorn gevormd uit gebrande amandelen en gevuld met petits-fours welke bedekt waren geweest met gecandeerde viooltjes.

In het persoonlijk bestek van de koning was hem behalve de gouden fruitmessen een zilveren hertje opgevallen dat de room

84

bevatte voor de koffie en ook een gouden uiltje dat diende als zoutvaatje. De herinneringen aan de koninklijke monoloog waren hecht verknoopt met de menukaart, zo moesten de Müncheners het bijzonder ontgelden tijdens de Crème de Gibier die Ludwig, zoals de meeste mensen die gewoon zijn alleen te eten, luid slurpend en smakkend naar binnen lepelde. Op die manier werd het een weinig smakelijke maar wel gulzige verguizing van een hoofdstad die iedereen in Hohenschwangau die een goeie neus bezat en goeie oren daar kon horen en ruiken, en wel aan het politieke gekijf en gekakel, de bolderende sleperskarren en aan de rook en de bierlucht. Hij haatte München, ondanks de Frauenkirche en het Hoftheater, het bleef een onuitputtelijke bron van zegels, papieren en mappen. 'Stadtsfadaisen!' Hij had daar maar één verdediging tegen (hier knikte Von Hohenlohe vol verstandhouding tegen een onzichtbare gesprekspartner), wie hem er mee lastig viel kon rekenen op antichambreren, desnoods dagen lang. Misschien had dat nog iets te maken met zijn koninklijke vader, voor wie de staatszaken juist altijd te traag gingen; nog hoorde hij die schrille, altijd wat onbeheerste stem: 'Kalamität, unsägliches Unheil des ungebührlichen Liegenlassens.' Eenentwintig dagen was hij grondwettelijk verplicht in de hoofdstad te resideren, welnu, dat deed hij en geen dag langer. Wagner had München voor hem onthuld: Intriganten, Flachköpfe, ungehobelte Klötze. Te ademen viel er alleen in de hoge, ozonrijke lucht van zijn geliefde bergen, Hohenschwangau... maar ook daar drongen ze tot hem door met slecht gestelde, hoekige vragen en ritselend papier, en die konden op weken vertraging rekenen in plaats van dagen. Hem zweefde een horst voor de geest die moeilijker te bereiken zou zijn, een alpine Meudon, Marly... een adelaarsnest, eromheen in de diepe kloven het dorre gebeente der ambtenaren. Hij beschikte al over schetsen, ontwerpen, studies betreffende een nieuw te bouwen burcht Falckenstein, die hij al voor zich zag in de buurt van Pfronten. Een plaats waar hij zich nog verliezen kon, verbergen, een laatste voorpost, daar waar nog de zuivere afdruk te zien viel van Gods hand, 'und wo der Mensch mit seinen fortschrittparteilichen Pfoten noch nicht herumgefummelt hatte'.

Een en ander kwam door het gemis aan voortanden sproeiend over tafel, waarbij nu en dan giftig over **bord en lepel** werd geloerd zodat Von Hohenlohe wel degelijk begreep dat hij niet over 'Stadtfadaisen' hoefde te beginnen, wat hem in zoverre verontrustte dat het hem een van de zeer weinige vluchtroutes afsneed, maar aan de andere kant voelde hij dat de koning nog wel meer op zijn hart had en dat bij dit alles de tijd hoe dan ook kosmisch verder tikte. Maar enige reactie, zo voelde hij, werd toch wel van hem verwacht, zodat hij na ampele overwegingen een droog 'men kan ook van zijn stad houden' plaatste. De koning, een mond vol champignonsaus, streepjes eigeel op bovenlip en baard antwoordde daarop langs zoveel door de Commune achtergelaten puinhopen te zijn gereden op weg naar de ambassade dat hem dat in het rijtuig opeens had doen denken aan een gruwelijke gravure, gruwelijk... Hij slikte, dronk een gulp, propte de mond weer vol ragoût en vervolgde: 'Een gravure "d'après nature", en wel van ene Louise Michel bijgenaamd La vierge rouge de la Commune.' Die bijnaam was al gruwelijk, deed denken aan de guillotine of zo iets. Op weg in zijn koets door het gehavende Parijs (Hohenlohe stelde er zich licht geërgerd een zwijgende Von Lindau bij voor) had hij dat gegraveerde gezicht weer voor zich zien oprijzen en was hij opnieuw van afgrijzen vervuld geraakt. Het was het oergezicht, de gezichtsmal die onder vele vermommingen schuilging van wat hij voor zichzelf dan maar noemde 'de dictatuur'.

'Dictatuur?'

'Dictatuur, o zeker... die vreselijke ogen, die mond... la vierge rouge, een vrouw voor de barricaden, te moeiteloos beschikkend over alle daarbij passende kreten, gebaren en vlammende blik. Een dictatuur van de orgastische dapperheid, en wee hem of haar die even nadacht, twijfelde, terugschrok... dan onder-

brak die mond even de kreet om vrijheid en beet zonder man-
keren een strot af.' O, onder vele vormen van dictatuur school
dat gezicht, kende Hohenlohe zijn koninklijke moeder Marie,
die alte Rossinante, ganz stures Frauenzimmer, Pruisisch van
materiaal maar aan migraine lijdend als een Italiaanse non. 'Alles doen wat mama zegt' heet die dictatuur, anders... gebeurde
er iets heel ergs in het koninginnenhoofd en wiens schuld zou
dat dan wel zijn?... Zo was er ook de dictatuur van het sterf-
bed, laatste dwingende fluisteringen, met al dovend oog af-
geperste beloften... Hier spitste Hohenlohe de oren, maar Ludwig verloor zich daar niet in details, zijn ogen flitsten, waren
donker van wijn, woede, herinneringen en van de rode maagd.
'Sophie!' blafte hij in de omelette soufflée, zijn Sophipillerli...
zacht, lief, warm, rond, alles duldend, alles verdragend, alles
begrijpend, maar bij God! lijdend, lijdend... En maar kijken...
Op een nacht was hij naar Possenhofen gereden: fakkels, paardengetrappel, gebons op de deur. Iedereen was zich wezenloos
geschrokken: 'in Nacht und Nebel und Schrecken... der König!' onhoudbaar op weg naar zijn aanstaande virginale bruid,
met dreunende laarzen en een blik alsof hij haar tot aan de keel
aan zijn roede ging rijgen. Alles was krijtwit van ontsteltenis,
schrik, schaamte en God weet ook hoop, maar wat had hij anders kunnen doen dan tegenover haar zitten, opeens vreemd
machteloos en leeg, en zeggen: 'Du hast schöne Augen.' Af-
tocht... spoor van wanhoop, en natuurlijk lijden.

Giftig knipte de koning met de vingers en liet zich bijschen-
ken, hij dronk een ferme slok, liet de wijn door de mond rollen
om zijn paar tandhalzen wat tot rust te brengen, liet weer bij-
schenken en zei: 'Dat is de dictatuur van "ik hou van je".' Nog
meer? Hij die de volbloedigheid en de corpulentie had geërfd
van zijn moeder en de erotische drang van zijn grootvader
Ludwig wist bij voorbeeld wat de dictatuur betekende van de
kuisheid, hij die Wagner had gekend als geen, een vriendschap
als een godenzang, hij wist wat de dictatuur betekende van de
mokkende, gekwetste vriend, en wie koning was van Beieren

en in die kwaliteit te maken had met een stad genaamd München wist wat de dictatuur betekende van 'hebben wij misschien een niet toegewijd koning?' en dat allemaal, ja alles!... stukjes fazant en bessengelei vlogen her en der, zat in dat gruwelijke, naar de natuur gekerfde smoelwerk.

Hijgend bereikte de koning het dessert, een zoete spijs die hem pijn deed, maar waar hij niet van af kon blijven. In de stilte die viel aan tafel maakte zich in Hohenlohe opnieuw de angst vrij voor het diplomatieke debâcle de hoge maar bizarre en onbegrijpelijke gast mateloos te vervelen.

Tegenover hem zat de vadsige koning, somber verzonken in zijn zwartrode Bourgogne waarin zich de gaslampen spiegelden. Tussen hen in lag over de overladen tafel de zozeer gevreesde leegte, dat kon de ambassadeur zich later nog scherp herinneren, maar terugkijkend in een smartelijk en weemoedig herdenken wist hij niet meer precies hoe het gesprek was gekomen op 'La Paiva'. Vermoedelijk via Lodewijk xiv die zich gemakkelijk genoeg liet lospellen uit het voorgenomen bezoek aan Versailles en over wie Hohenlohe zich met wat literatuur had georiënteerd. 'Uwe Majesteit sta mij toe op te merken,' had hij na een bescheiden kuchje de stilte verbroken, 'dat alhoewel de voorkeur van de koning voor de Franse Lodewijken zoals bekend groot was, dit toch moeilijk te rijmen viel met genoemde afkeer van dictatuur. Lodewijk xiv, een gekwadrateerd absolutist, die alles offerde voor eer en glorie van één man... al die oorlogen, had hij niet in de Rijnlanden huisgehouden als Attila, al wilde men daar wel steeds een minister de schuld voor in de schoenen schuiven, en dan die gruwel van de etiquette, een heel universum van voorgeschreven gedragingen met de koning als spil. En denkt u eens aan het lot van Nicolas Fouquet wiens enige zonde er in bestond de koning door een feest overtroffen te hebben in luxe.' Maar lang mocht Hohenlohe niet trots zijn op zijn snel bijgebladerde historische kennis. 'Un luxe insolent! et audacieux!' articuleerde Ludwig scherp en agressief, 'daarom sleet Fouquet de rest van zijn leven in het fort Pignerol, en terecht. "Ein Sultanischer Eingriff"... en zo had het ook moeten zijn, van een hoge schoonheid, maar helaas lagen de werkelijke feiten heel anders in de mappen, gortdroog: Mazarin pas gestorven, de koning nog jong en Fouquet eerzuchtig als geen meende zijn kans schoon te zien. De rest laat zich met clichés invullen... het valt altijd tegen, steeds jaagt de dag de nacht.'

Ja, die opmerking was het geschenk van 'La Paiva' geweest, een godsgeschenk dat grond onder de voeten gaf, de rug rechtte, maagpijnen wegnam. Stof had hij opeens voor wel een uur, een heel boeket van thema's. 'La Paiva', dat verhaal kende hij en hij nam zich voor op zijn gemak de stadia te doorlopen van de tot de laatste details ingelichte diplomaat, verfijnd man van de wereld maar niettemin realist, een ingewijde in artiestenkringen, gedistantieerd ironicus, levendig anekdotist en stilist van klasse.

'Uw laatste opmerking Majesteit, over de dag die de nacht jaagt doet mij even denken aan een beroemd cocotte,' sprak hij na zich nog even te hebben opgewarmd met een voorzichtig slokje, 'nog een van de werkelijk grote horizontalen van het tweede keizerrijk.' Hij legde grote nadruk op die functie door de associaties die deze moest oproepen met Pompadouren, La Vallières en hoe ze ook allemaal meer mochten heten. 'Ze bezat onder andere een buiten, het château Pontchartrain, zo'n vier uur van Parijs waar de tedere La Vallière nog had gewoond, geheel in de stijl Lodewijk xiv, waar Le Nôtre de tuinen van had ontworpen.' Na zich op deze wijze van de koninklijke aandacht te hebben verzekerd legde hij zorgvuldig zijn accenten. Een markiezin De Paiva door haar huwelijk met een Portugees edelman, een fabuleus rijk mijneigenaar die Hohenlohe persoonlijk wel kende, Albio Francesco de Paiva. Ach ja, Francesco, glimmend gladgeschoren kin, tweemaal per dag de friseur, gitzwarte koteletten. De man straalde stijl en klasse uit als een lamp het licht maar zij was en bleef het snolletje Thérèse Lachmann uit een Moskous getto, dat daar getrouwd was met een nulliteitje, een of ander kleermakertje, die ze echter al spoedig met kind en al achterliet voor een leven van lichtekooi, landloopster, dievegge in Constantinopel, Wenen, Londen en Parijs. Maar dan het Parijs van het quartier Saint-Paul, een jodenbuurt met rituele slachtingen op straat, huizen die zich aan elkaar vastklampten als lepralijders, waar geen licht doordrong in de straten, en overal de stank was van bloed en slachtafval. Maar ze bleef in leven, vol littekens van binnen, maar gaaf van lichaam en ze slaagde er waarachtig in omhoog te klauteren: over de kunst, via de zwakke longen van een pianovirtuoos en de lusten van een Théophile Gautier. Zo drong ze door tot Francesco, zeer oude adel, zijn foto zien was dat geslacht kennen. Natuurlijk dook op dat moment de Moskouse echtgenoot op in een wanhopige poging er toch nog een derderangsdraak van te maken maar hij stierf precies op tijd, zo precies op tijd dat ik wel eens heb gedacht... maar goed. Francesco verliet haar natuurlijk na een aantal jaren, maar ze was nu rijk, gevierd als geen en getiteld. Haar praalbed was beroemd, kosten zo'n slordige honderdduizend francs, een ongehoord cynisme, voor een bed!... In en uit dat bed gingen de broers Goncourt, Gautier, Sainte-Beuve, Delacroix, zelfs Taine. Toch werd ze niet echt ontvangen natuurlijk, niet in de Tuilerieën, niet door prinses Mathilde, maar ze trouwde opnieuw, nu met Pruisische adel, Henckel von Donnersmarck... een man nog omgeven door een Hauch van spionage. Tactisch gezien dus een misgreep, die uitliep op wat men hier noemde "het schandaal van de Italiaanse Opéra", dat toch ook in Pruisen en zeker in Beieren moet zijn doorgedrongen.'

Op dat punt legde Hohenlohe peinzend de vingertoppen tegen elkaar; was een La Paiva tactloos geweest, Hohenlohe was dat niet, hij wilde met de beschrijving hoe zich in '72 opeens in de zaal een anti-Pruisische stemming had kunnen samenballen de koning voorzichtig op mogelijke eventualiteiten wijzen. Het incognito was nu eenmaal niet waterdicht en het 'à la porte les Prussiens' had nog niet zo lang geleden gedreund als de

Marseillaise en hoe dicht de anti-Duitse stemming sluimerde onder het oppervlak bleek wel uit het feit dat de krantekoppen triomfantelijk in rijm waren gebracht, zo iets dringt om de een of andere reden veel dieper door. Zo herinnerde Hohenlohe zich nog: ' "La Paiva doit quitter/ l'Opéra Italien sous les huées!" Een heel schandaal, te begrijpen dat Henckel von Donnersmarck satisfactie... Hijzelf was ervoor naar Thiers gemoeten voor "la réparation" die ten slotte de vorm had gekregen van een uitnodiging voor een officieel diner...'

'Een mooie zin,' zei de koning, 'ook een ware, de dag jaagt de nacht. Arme Otto, gejaagd door Medizinalrat Brättler en Geheimrat Gietler. Ik vond de tekst vreemd genoeg zo maar op een kaartje in het rijtuig, op de zitting "le jour chasse la nuit".'

'Ja, o ja,' zei Von Lindau die voor het eerst de mond opendeed.

'... en ik overwoog hoe juist het was gezien van die onbekende dat het ook steeds de dromen zijn, de nachtgeboorten die worden gejaagd. Sempers model voor het Festspielhaus in mijn salon te Berg, een witgeel verstild suikerwerk, maar Wagner laat bouwen in Bayreuth. Overigens Wagner! der Freund! mijn liefde voor hem, zijn liefde voor mij, gejaagd door beambten uit München. Het onvergetelijke geschenk van de geliefde vriend, het door Pecht geschilderde portret, in extase door mij bekeken achter op slot gedraaide deuren, niemand zal ooit weten wat wij hebben besproken... gejaagd door de rekening die ik opeens kreeg aangeboden... Duizend Gulden, een rond bedrag maar een gat niet op te vullen, ook niet door een koning. Falckenstein, mijn graalburcht, een schrijn van kuisheid... gejaagd door de Kabinetskassa. Een Alpenkoning, gejaagd door het spookbeeld der vooruitgang, de openbaringen van een Pommerse jonker: aardappelvelden, fabrieken, advocaten en een parlement. Ja, ich bin ein Schattenkönig, und ich werde gejagt!'

Hohenlohe glimlachte droomverloren in de verte: 'Papperlepap, haar plafond in het hotel Paiva aan de Champs Elysées, een krans van empiresalongoden, 's avonds geraffineerd verlicht zodat het vanaf de straat te zien was, en zij was de nacht. Heel Parijs wist dat Boudry haar onvergelijkelijk had getroffen: de Hera-armen, zwaar en loom geheven, het gezicht en profil, half-verborgen in een armplooi vanwege de iets te zware neusvleugels, maar haar fameuze tors... Grieks met die zeldzame gevulde, bijna stralende borsten.' Iets glinsterend boosaardigs was geslopen in de blik van Hohenlohe: 'En haar dijen, de linker iets geheven, aards, maar zilverwit als geblanket met rijstpoeder, nog eens extra naar voren schrijdend door de omwolkende donkere mantel waarop een maan, enkele sterren...'

Zwaar stond de koning op, zijn stem klonk niet onvriende-lijk: 'Von Hohenlohe... er langweilt mich!'

De verjaardag zelf van de koning werd gevierd met een slechte bui, dat wil zeggen de koning stond laat in de middag zwij-gend op, ontbeet zwijgend maar langdurig, waarna Parijs het moest ontgelden. Veel antiquairs bezocht Ludwig, hoffelijk be-geleid door Hohenlohe (hersteld en weer volkomen uitgerust) en gevolgd door vier politiebeambten in burger, de spieren ge-spannen en de oren gespitst voor een eventueel 'à bas l'Alle-mand!'

Maar de koning aarzelde veel, keerde vaak op zijn schreden terug, staarde breed in de etalages naar het eigen door koetsen doorreden spiegelbeeld, aarzelde zelfs nog op de drempel van een reeds geopende deur en liep dan verder om na een bezoek aan enkele andere zaken toch weer terug te keren. Dat knaagde aan het uithoudingsvermogen van Hohenlohe, die, wat aam-borstig en gering maaglijdend, aan een zittend leven gewend was en daarbij geen enkele interesse had voor alles waar de koning zich in verdiepte: horloges met miniaturen, bijouterie-en, mythologische haardplaten, achttiende-eeuwse klokken en gouden munten. De koning zocht niet, de koning dwaalde, somber bracht hij een bezoek aan de voorwerpen uit vervlogen tijden, wreef bedroefd en bevestigend knikkend met de duim over het aangetaste zilver van een fraai bewerkte schaal of tikte troostend tegen een fluitglas, liep dan woordeloos naar de deur om op het laatste moment, bijna als gunst nog iets aan te wijzen: een gouden snuifdoos met wapen, een kandelaar van Meissen-porselein.

Maar tussen de antiquairs lag het Parijs uitgespannen, de parken, de tuinen, trappen en boulevards waarlangs, waarop en waarover de koning voortwandelde met zijn alweer uitgeput gezelschap, bijna somnambuul voortsjokkend, de gedachten vaak elders, en met dwalende blik. Een niet meer tegen te houden kolos, een oerkracht die alles in zich opzoog, nu en dan teder een muur aanraakte, en lang mompelde tegen de grauw-roze plakkaten van de Comédie. Zijn blik bleef somber rusten op de geblakerde resten van het Hôtel de Ville, de eenzame sokkel op de Place Vendôme, het huis van Madame de Sévigné, van Victor Hugo op de Place des Vosges, eens centrum van elegantie in de eeuw der eeuwen, waar ook Marion de Lorme woonde, en Richelieu.

Een nachtmerrieachtige namiddag waarvan Hohenlohe zich vagelijk herinnerde ook een compleet Moors paviljoen voor de koning te hebben aangekocht, dat deze opeens voor zich had gezien als een van zijn jachthutten, in de zuivere berglucht, hoog en stil. Het geheel, destijds gebouwd voor de wereldtentoonstelling, kon slechts op tekening en foto worden getoond daar het elders lag opgeslagen, maar bezwaren had dat niet opgeleverd.

Ziek van moeheid nam Hohenlohe 's avonds in de loge naast de koning plaats, verder geheel rekenend op de met koortsachtige activiteiten door de Ambassade gemobiliseerde Freiherr von Kaunitz, een baron Windischgrätz en een baron Strauss von Salomow. Maar tot zijn ontsteltenis ontpopte in dit wat beige gezelschap Von Kaunitz zich als een door de koning niet in het minst geïmponeerde Pruis die nu en dan ook nog hardop dacht. Von Hohenlohe die wist hoe moeilijk de koning zich toch al in de *Phèdre* had kunnen schikken waar hij zich zo had

93

verheugd mogelijk de grote Coquelin of anders de veelbespro-
ken Mounet-Sully te zien, hoorde zwetend achter zich in de loge nu en dan een metalige, regelrecht uit Pommeren komende
kazernetaal! Direct al na het verschijnen van de grote Sarah en
na het wegsterven van het daverende applaus klonk zijn commentaar: 'Es heimelt mich diese Person ungemein an... fabel-
haftes Exterieur!' en na het werkelijk zaalverstarrende, onvergelijkelijke achteroverzijgen van de actrice aan het eind:

> J'ai pris, j'ai fais couler dans mes brûlantes veines
> Un poison que Médée apporta dans Athènes.
> Déjà jusqu'à mon cœur le venin parvenu...

klonk het droog 'Plattschuss!'. Duizendmaal liever ware Hohenlohe een kiezenzuiger, hummer, vingertrommelaar of
dwangfluiter geweest, maar de koning reageerde niet, zweeg
en hanteerde nauwelijks de kijker. Na afloop, in een zijvertrek
wachtend op het rijtuig vroeg baron Windischgrätz, zich veilig
wanend achter Racine en op zijn beurt diep onder de indruk
van koning en theater: 'Majesté, que pensez-vous de Sarah
Bernhardt?'

'Une cochonnerie,' zei Ludwig kort.

'Mais pourtant, tout le monde l'admire. Les visiteurs...'

'Les visiteurs sont des andouilles... pour moi elle est une lu-
gubre Louise Michel.' Waarna de rijtuigen werden aangekondigd en het gezelschap kon instappen voor de rit naar Versailles.

Er was wel maan maar toch was het donker, door de spleet
van het half opengedraaide raampje waaide wat zwoele avond-
lucht met nu en dan een vleugje bloemengeur. Achter blauwe
kringen gaslicht draafden de huizen voorbij, een universum vol
rust voor Hohenlohe: intieme slaapkamers, huiskamers, banken, stoelen, sofa's en God weet wat voor verfrissingen. Tussen de bomen van de weg naar Versailles was het roetzwart,
alleen vlak naast de koets gleed een oranje vlek mee van de

lantaren voorop. Maar eindelijk reed de koets het immense voorplein op van het paleis, vol onthutsende diepe kuilen en ratelende knobbelkeien. Over de zijvleugel met de donker uitstekende kapel, richting Parterre du Nord, hing een roze gloed met een zwakke weerspiegeling in de bovenste rij vensters, maar daaronder was alles weer hoekig en zwart.

De koning steeg uit, binnen kraakte het parket, de lampen waren feestelijk ontstoken, geur van rozenolie en kaarsen. Majesteitelijk besteeg Ludwig de trappen, passeerde de bij elkaar geplunderde garderobe van Opéra en Comédie: zijden vesten, ruisende manteaux, zwaar geornamenteerde rokken, een overdaad aan buigende pruiken en krijtwitte kuiten, een wemeling van gebaren in zijde, laken en fluweel. De trappen krioelden van de figuranten, bepluimde tricornes, deinende allongepruiken, gedeukte paniers. Een mêlée van eeuwen, maar de koning passeerde zwijgend zijn gasten. Daar was niet op gerekend, dat de koning zwijgend zijn gasten zou passeren: geen overrompeld terugdeinzen, geen verlegen maar verrukte blos, of wat hulpeloze gebaren. Iemand stampte met een staf, riep: 'Sa Majesté le Roi,' en de hele opgetrommelde hofhouding knakte revérences naar elkaar, of zo maar in de lucht, een enkeling oefende ernstig, de meesten deden koddig, sommigen niets of tikten aan de denkbeeldige pet.

In de Galerie des Glaces was voor licht gezorgd maar niet veel, wel echode er muziek, een trage barokke dreun van Lully, op de maat waarvan de koning liep zoals hij die dag door Parijs had gelopen, breed en onverzettelijk in de schemer als de Golem zelf. Ook daar was niet op gerekend, dat de koning maar bleef lopen, maar met een bewonderenswaardige zekerheid liep hij door het paleis dat steeds maar groter leek te worden en holler.

Voorop struikelden wat fakkeldragers, gevolgd door een kakelende, kirrende en elkaar in de ribben porrende groep. Een optocht uit Charenton, een koningsdroom met negerpages ertussen: halfnaakt, ingewreven met olie en glimmend als tot leven geroepen afgodsbeelden. Voor bloemen was gezorgd, op enkele plaatsen tenminste: tulpen, leliën, varens, wat spottende rozenslingers over harnassen en wapenrekken.

Van tijd tot tijd stond de koning stil, staarde als versteend uit over een zaal of een stuk tuin ergens beneden vol walm en fakkelgloed, dan liep hij weer verder, verliet het licht, maar zijn stap dreunde niet minder krachtig en zeker in het donker. Duisternis, geur van rottenis, vochtige zwammen achter naar voren puilende, losgerukte lambrizeringen, even opdoemend in het licht der flambouwen als een herinnering aan die Pruisische inkwartiering...

Om geen doodsmak te maken dromde men om de zekere koning, wiens schaduw groot en grillig door de ruimte vloog. Zo drong men door tot de slaapvertrekken, de donkere Salle des Gardes, het Œil de Bœuf, wat kabinetten, en via de Salle de Diane ging het weer terug naar het licht. De muziek verliet hen nergens, trippelde vertrouwelijk mee, schuifelde spookachtig in de diepte, bonkte in de verte, maar klaterde weer helder op in de Salon de la Guerre met veel rood en goud en stralende luchters.

Even stond iedereen stil met de ogen te knipperen, daarna dreef men uit elkaar, begon als op bevel te bewegen met sierlijke Meissen-porseleingebaren. Menuetten, steeds dichter bevolkt, prachtig, maar nog bleef de koning niet staan. Op een plankiertje stond het orkest, lang verborgen gebleven achter flaneurs en dansers. De rood-gouden marionet ervoor verbleekte, deed allen eerbiedig opstaan zodat opeens één enkele viool klonk die het niet had begrepen, dun en klagend. De koning liep verder, hij zocht naar het hardnekkig klateren van een fonteintje, maar vond een lage met damast beklede tafel waarop zilveren schenkkannen, enkele bekkens met parelende champagne, rijen flessen en glazen. Achter een met nimfen beschilderde deur opeens ook Von Kaunitz, met fonkelende monocle, zijn pruik over de arm, die waarachtig aan bier had weten te komen. Hij klakte de hakken tegen elkaar, knikte even met het hoofd: 'Jestät, ein pahr Pullen zur Brust gezogen, und zack! schonungslos hinter den Knörpeln. Prost!'

De koning had kunnen spreken als hij wilde, maar hij sprak niet. Hij had kunnen zeggen: 'Hier stierf mijn koning, daar wies hij zich, hier werd de duc de Bourgogne geboren, daar dat schaap levend gevild erna, daar liet Fagon een bastaard doodbloeden, op die binnenplaats werden de eerste koppen rondgedragen van de revolutie, langs deze trap droeg men het nog warme lijk van la Pompadour naar buiten en het sneeuwde toen heel zacht, daar stond de tabouret en op die trap ontmoette een afdalende De Montespan en een stijgende De Maintenon elkaar in een sidderend moment en daar... stormden de barbaren binnen voorafgegaan door wit en schel licht en huiveringwekkend gespierde Paiva's. Voel het marmer der busten, het hout van de wanden, nog star en ontsteld van schrik en vertwijfeling.'

De koning keerde om, keerde terug naar de Salon de la Guerre waar door de ramen de verlichte tuinen te zien waren. Daar ging hij zitten op een gekrulde bank, op een kussen van rood fluweel waarop een met goud geborduurde leeuw. Boven hem pronkte het geweldige ovaal van de veertiende Lodewijk als Mars in marmeren reliëf, langzaam in alle tinten dooraderd wit doemde hij op uit het marmer der eeuwen (te paard, lijken vertrappend, het hoofd in een zee van lokken), evenzeer als hij erin verdween. Aan de onderkant kreunden de ovaaldragers, galgroene sombere atleten, speels omkranst; boven, eerbiedig in liggende houding, bazuinden engelen het monumentale komen en verdwijnen.

Wist Ludwig van wat er achter zijn rug en boven zijn hoofd gebeurde? Wie zal het zeggen, de kranten vermeldden slechts 'Der König war an seinem Geburtstag in Versailles'.

Enkelen snelden toe, hielpen de koning uit zijn jas en vest, zo behendig dat men vermomde lakeien uit Berg en Schwangau vermoedde. Snel en vaardig om redenen van oirbaarheid en eerbied kleedde men de koning alleen voor de bovenste helft.

Kappers, sierlijk gebarend, hielden zich bezig met zijn vorstelijk hoofd, zijn oogleden zwaar en broeierig, de wenkbrauwen, de glans, pracht en pronk van zijn pruik. Ze schminkten zijn lippen lakrood, bepoederden zijn wangen en steeds meer stroomden toe, naar de koning die zwaar op zijn rode kussen zat, de dijen wijd. Boven hem, licht overspeeld door de lampen kreeg het marmer steeds gebiedender trekken, opeens was boven het marmeren hoofd daar een engel te zien die uit de diepte aanzweefde met een kroon. Dat was nieuw, en de muziek zwol zo aan dat het buiten te horen was als muziek van een feest in een paleis. Een dwingende dansmuziek onder marmeren regie, traag en zwaarmoedig. Buigend zette men zich in beweging of men wilde of niet, toonde de koning de bepoederde kruin, glanzende rug en dito achterste, geborduurde borst, elegant verlichte handen, een fraaie dij, de gebeeldhouwde kuiten.

En de koning zat en keek, zijn ogen groot en donker, en hij dwaalde met de blik en volgde zijn hongerige ogen met de vinger, wenkte gebiedend naderbij, wees even gebiedend weer terug. Alles en allen dromde en kromde zich net zolang aan hem voorbij tot hij eindelijk was opgeroepen, uit de lijst gestapt, door de verf heen gebarsten, uit het steen gesprongen. De grote Condé? zoals toch voor de hand lag? le Grand Condé, met zijn schouders als een vleugelslag, zijn arendsneus, die hals als van een worstelaar, het gezicht benig, de mond wreed. Op een meter afstand deed hij het ijs op de ruiten smelten. Nee, en ook niet Eugène prince de Soissons, die een spoor van verrukking achterliet als hij als vrouw verkleed door Parijs ging. Nee, het was de jonge duc d'Orléans, lelieblank of liever, zoals het koninklijk ovale marmer al had gefluisterd, blank als een lakeienbil en verzorgd tot de laatste strikjes en pailletten. Uit allen trad hij naar voren op die dag der dagen, maar wie kan een König von Gottesgnaden nog verrassen? Deze... deze duc d'Orléans die zich op het allerlaatste moment nog veranderde in François Louis de Bourbon, prince de Conti. Hij die men steeds met Germanicus vergeleek, begaafd in zijn eentje als een heel spiritueel en fonkelend gezelschap samen, frivool tot in het legendarische, een Bourbon die evenveel eerbied had voor zijn rijknecht als voor zijn koning, een brein helder als kristal, bezitter van een uitzonderlijk talent voor vriendschappen, een Ganymeed die nooit iemand kwetste en zo schoon was dat men zich handenwringend en tranenoverstroomd terugvond als hij was voorbijgegaan. Als van Ceasar kon ook van hem gezegd worden dat hij de vrouw was van iedere man en de minnaar van iedere vrouw.

Deze nu trad toe op de bijkans bezwijmende koning. 'Obéissance absolue du Roy et à sa volonté,' fluisterde Ludwig, speeksel glinsterde om zijn gelakte mond. Men legde meer kussens op de bank, brede en zachte, en rood als de zonde zelf zodat ze, oog in oog, elkaar nu en dan in de armen konden rollen.

Hun volmaakt zwaartezoze handen zochten en wroetten, wijnvochtige lippen versmolten met elkaar, het marmer van het ovaal kraakte, de Atlassen steunden en kreunden en overal in de verlichte tuinen spoten opeens de fonteinen omhoog en klaterden en ruisten in alle zalen. Schmink wreef zich in schmink, tranen vloeiden samen, wenend viel Ludwig uit elkaar: knoopjes rolden over de vloer, zijn pruik zakte scheef op zijn schouder.

Geraas, gestamp van voeten!... wegrennend betaald tuig dat liever de fonteinen zag dan kolderesk rond te huppelen en elkaar op de tenen te trappen? O God nee... Majesteit, het volk bestormt het paleis, krijtwit van jaloersheid, er zijn vreselijke vrouwen onder met kuiten gespierd door bergtochten en met brede konten à la Montespan en Maintenon. Hoort het brullen op het voorplein: 'À l'abattoir!... à l'abattoir...!' kruideniers zijn erbij, antiquairs en zeker beambten met mappen. Snikkend betast Ludwig het gezicht voor hem, de oogleden, de lippen, de wangen en de prinselijke keel zo zacht en wit als duivedons. 'Mild und leise wie er lächelt,' roept hij, speekselblaasjes op de lippen, 'wie das Auge hold er öffnet. Seht ihr's Freunde, seht ihr's nicht?'...

Ludwig gaapte lang en staarde daarna met waterige oogjes naar de blauwe Maria met kind die tussen twee ramen hing. Piloty. 'Een mooie reis was het,' zei hij loom tegen de lakei die naast hem lag, 'men zei dat ik zeer beminnelijk was. Ben ik beminnelijk Niggl?'

'Uwe Majesteit is zeer beminnelijk,' zei de lakei die roerloos op de rug naar de zoldering staarde.

'Mooi, leg dan nu de vlakke hand op mijn borst en streel dan heel zachtjes... Ahh, dat doet goed, dat deed mijn min vroeger ook bij mij, zo zacht. Je hebt een schone hand Niggl, een beetje aan de grote kant maar zeer zacht. Bijna had ik gezegd zeer moederlijk.' Hij gaapte weer verveeld en slaperig.

'En hoe voelt mijn huid aan Niggl,' vroeg hij zeurderig.

'Zeer soepel Majesteit, als zijdevoilée.'

'Als vleesgeworden Zefier, Niggl?'

'O ja, Majesteit, de huid op Hoogstdeszelfs rug is als zijde.' Het klonk als een afgerateld lesje.

'Braaf mijn Pollux,' zuchtte Ludwig Wittelsbach, 'en noem mij nu mijn... smoutebolletje.'

'Smoutebol.'

'En nu moet hij mij kussen alsof hij van mij houdt.'

Gehoorzaam drukte Niggl een kus op de pruilende mond met de wat vettige snorhaartjes.

'Und er fasse,' vervolgde Ludwig met gedragen stem, 'den mächtigen... Königlichen... Schniepel!... mein Pimmelammilu... mit!... Vehemenz!!'

Nee, het was niet de dag der dagen, hij kwam wel klaar maar het was als een zwakke kreet in een ver vertrek.

Otto

Ludwig ontwaakte met een schok en wist een gruwelijk moment lang niet waar hij was, ook niet wie hij was. Gespannen staarde hij voor zich uit, met wijde pupillen en begreep niet. Hij zag iedere steen van de muur duidelijk, zo duidelijk als stenen nooit zijn en met een ruk schoot hij overeind, greep wild in de lucht en in een angstgolf plopte opeens alles op zijn plaats: Schleissheim! Seine Hoheit Prinz Otto geht eine unruhige Nacht entgegen. Een telegramtekst bijna stilzwijgend overeengekomen om de koning mee te delen dat de gewoonlijk in een mateloze melancholie verzonken en verstarde prins, die hoogstens een enkele maal een paar uur weende, was uitgebroken in razernijen, aanvallen van woede, angst, vertwijfeling of God mocht weten wat.

Meestal bereikte Ludwig een dergelijk telegram als hij in de residentie was en dus vlak bij, en hij vermoedde dat de medische staf de telegrammen ook wel benutte om het uiterst dunne contact tussen de broers niet helemaal te doen ophouden.

Vroeger toen Otto nog in Nymphenburg zat of wat later in Fürstenried, had hij hem vaker bezocht, hem ook vaak kunnen kalmeren, maar naarmate de toestand zich verergerde waren die bezoeken hem bijna tot een ondraaglijke last geworden.

Nog wat klam van de schrik stapte de koning uit het rijtuig op het knarsende grind en keek nog wat onwennig naar de donkere schimmen die de grote glazen voordeuren ontsloten en plechtig naar buiten opendraaiden.

Het was een zachte oktoberavond, er hing de lichte geur van aarde en verbrande bladeren, een zachte windvlaag deed de palmbladeren in de hal droog klapperen. Wat stijfjes gaf hij de begroetende arts, die in het zwart was gekleed, een hand, hoorde hoe de deuren achter hem weer op slot werden gedraaid en keek hoe de andere deuren van de hal naar de zwak verlichte lange gang werden ontsloten.

Ludwig sprak geen woord, het geroutineerde sleutelritueel vervulde hem met ontzetting, evenals de doodstille, schemerige gang. Het was alsof met opzet alles somber was gehouden: geen beelden, geen bloemen, wandschilderingen, sierlijsten of vazen, overal heerste een overzichtelijke wurgende ernst.

De in het zwart geklede verplegers hadden zich op de een of andere manier opgelost en Ludwig liep met trage pas door de lange gang, zich schrap zettend voor een gil of schreeuw, licht beklemd op de borst en zacht misselijk. Dr. Franz Carl Müller liep zwijgend een schrede schuin achter hem, de handen ineengehaakt op navelhoogte.

Aan het eind van de gang waar de stappen holler begonnen te klinken door de nadering van het donkere trappehuis onthaakten zich de handen van Dr. Franz Carl Müller en haalden een sleutel te voorschijn, maar voordat hij deze in het slot stak schoot zijn mager, onderdanig gesloten gezicht opeens scherp naar voren en tuurde door een met een geroutineerd handgebaar onthuld kijkgat, één oog fel dichtgeknepen alsof hij aanlegde met een geweer. 'Zijne Hoogheid heeft zich reeds in zijn kamer teruggetrokken,' zei hij daarna met een lichte buiging en opende de deur.

Ludwig hoorde hoe zij weer achter hem werd gesloten en keek: Otto stond tegen de reep muur tussen de beide getraliede vensters; hoog boven hem, bijna tegen de zoldering, hing een kruisbeeld. De lampen, ook hoog en buiten zijn bereik aangebracht, verlichtten het kale vertrek meer dan helder, diffuus weerkaatst door de grijze muren verspreidden ze een blauwig, wat moedeloos makend ochtendlicht.

Zwaar zette Ludwig zich aan de tafel en het viel hem op hoe stil het was, alles was te horen, het wrijven van zijn kleren, het knappen van zijn knieën, het kraken van de stoel. Zo staarde hij een tijdje, luisterend naar het geluid van zijn eigen ademhaling, naar het tafelblad met de vele krassen en krasjes en eindelijk naar het gezicht van zijn broer. Toen deze merkte dat Ludwig hem aankeek vloog er een lachje over het bleke gezicht met het blonde, wat pedante snorretje.

Prins Otto droeg een nauwsluitend wit jasje met epauletten en een witte broek, zijn houding was breedbenig en militair maar het was het lachje dat Ludwig het meeste trof daar het maar niet wilde verdwijnen. Het was een verlegen lachje, licht ironisch, achterbaks, maar vooral beschaamd. Bij nader inzien echter ook smartelijk, zelfs bloeddorstig, het was alsof allerlei elkaar in de weg zittende uitdrukkingen wanhopig naar iets zochten dat blijkbaar op een normale wijze niet viel te vertellen. Eindelijk vond Ludwig nog tot zijn eigen verrassing het juiste woord: 'Ach wat,' dacht hij ontroerd, 'hij is gewoon mooi.'

Otto was eindelijk gaan zitten, tegenover Ludwig, zijn ellebogen op de tafel, zijn handen tussen hen in, vol ontvellingen, enkele nagels gescheurd en gebroken. 'Lulu, je ziet er moe uit,' zei hij na een poosje, 'je bent ook zwaarder geworden, ik hoorde je stap al ver in de gang.'

'Ik ben veel alleen,' zei Ludwig om zich heen kijkend, 'soms dagen, soms weken lang. Mijn huid is dik en stijf geworden en laat alleen nog maar grove bewegingen toe, zelfs als ik heel tedere wil maken. Onder die korst Otto, verkleumt mijn ziel. Stoort dit licht je niet? het lijkt zo op daglicht.'

Otto schudde het hoofd. 'Daglicht,' zei Ludwig, 'stoort mijn innerlijk licht, vooral de zon doet dat, die maakt zo moe, heet en stoffig. Niemand kan daar van houden die dat werkelijk kent.'

Hij keek om zich heen in de kazerneachtige orde van het vertrek. 'Droom jij veel Otto?' Otto schudde van nee, hij hield het hoofd wat schuin, afgewend maar toch rustten zijn ogen donker en vochtig op het gezicht van zijn koninklijke broeder.

'Ik wel Otto, en niet altijd even gelukkig, zoals op weg hierheen, de lucht in de koets was benauwd en ik ging naar de kerk, naar de groeve van papa. Alles week opzij, er was geen weerstand en daar lag hij, zo geel als boter, met die verheven glimlach van hoofdpijn, Tacitus en Plato. Maar ik greep hem vol in de borst, rukte hem uit zijn kist en oorvijgde hem waar iedereen bij was. Van links waar hij ontheven glimlachte sloeg ik hem naar rechts waar hij verder verheven glimlachte, om mijn slechte tanden, want die heb ik van hem geërfd.'

'Je ziet er moe uit, Lulu,' zei Otto met een voorzichtige bariton, 'slaap je wel goed?'

'Goede soldaten,' zei Ludwig, 'hebben een droomloze slaap, maar koningen...' Zijn blik dwaalde door de ruimte, er zat iets in die kamer dat hem deed denken aan de monotone fantasieloosheid van verhalen over de hel.

'Vaak laat ik me rijden Otto, 's nachts, dat schudden van de koets verlost me van mijn nachtelijke onrust en schenkt me een eindeloze voorraad herinneringen. Koningen... ik zie ze duidelijk door mijn raampje, ze staan op en dalen weer, stappen naar voren, glijden terug. Achter de een kijkt de ander: over zijn schouder, door zijn borst, door zijn gezicht; der Grosse Karl, star van het goud, de onvergelijkelijk schone kruisridder Barbarossa die zo op Paul Taxis lijkt en mijn geliefde, heilige Franse koningen. Ik, de rozenkoning, noem hen mijn leliekoningen.'

'Je vertelt zo mooi,' zei Otto, tranen drupten over zijn wangen, 'zo rustig.'

'Velen leden zwaar aan hun lichamelijkheid,' zei Ludwig, 'herinner jij je je vader nog, hoe die maar zwol en zwol, helemaal blauwrood?... Bij sommigen ontstaken de tandwortels die zwollen en klopten in de doorreden nacht, ze gaven een vreemde bijsmaak aan het voedsel en een geur van rottenis wanneer heel zacht in de holle hand werd geademd. De grote Lodewijk van Frankrijk, die onschuldig was aan wat Louvois in de Beierse Palts uitspookte, ontstak het been. Men legde het in een bad van Bourgogne waar het in de diepte schemerde als oud Frans ivoor. Drink daarom nooit Bourgogne, Otto, zonder eerst duidelijk uit te spreken: "Que Dieu me sanctifie et la mémoire du Grand Roy Louis XIV et le martyre de l'auguste et noble Reine Marie Antoinette." Het been rotte weg, werd helemaal groen, daarna zwart, en Louis staarde in de nacht voor zich uit en door een venster dat ik je precies kan aanwijzen, en hij droomde van een been in een ballet héroïque, of in een troepen-revue, of in een rondgang door de orangerie. Lodewijk xv, le bien-aimé, stierf aan de pokken, niemand kon zijn ogen meer vinden en hij werd begraven in de nacht, in galop door Parijs naar Saint-Dénis. Angst vor der Leiche... auch sehr schön. De zestiende Lodewijk vernederd tot aan heiligheid: een hoofd zonder lijf... een lijf zonder hoofd en eromheen de hele debat-teerclub. Je kijkt me aan en je kijkt me niet aan Otto, er is niets achter mij.'

'Je vertelt zo rustig Lulu, zo mooi.'

'Velen leden zwaar aan hun lichamelijkheid,' zei Ludwig, 'ze kregen handen als klauwen vol knobbels en konden geen rin-gen meer dragen, of ze verdronken in de koude Alpenmeren en hun blote voeten schraapten over het leem van de bodem. In de maan is dat allemaal duidelijk te zien Otto, als je maar in beweging blijft, glijdt of rijdt. Wie dan tegen mij spreekt wordt voor eeuwig verbannen, opgesloten bij de ratten met hun knabbelbekken, in de duistere hoeken achter het stro. Al stemmen genoeg zeg ik altijd maar, die komen overal vandaan: uit de lucht, uit je lichaam, uit de kleren die je hebt gekozen voor de rit. Allen die zijn gestorven zijn dat, over hun pijnen gaat het, in hun buik of borst, achter hun ogen, in hun tanden. Maar er zijn enkelen, die zijn "von Gottesgnaden", en alleen van hen maken zich hun omhooggeheven gezichten los en zweven weg in het zilvergroene maanlicht terwijl hun lichaam vervalt en vergaat, net als dat been.'

Otto, voorovergebogen, staarde hem hinderlijk in het ge-zicht, hongerig, bijna dreinerig. Ludwig zag de zwarte glan-zende oogholten in het broederlijke hoofd, de vochtige wan-gen, de in schaduwen bewegende mond en hij merkte dat hij zijn stoel niet kon verschuiven omdat die was vastgeschroefd. Met een ruk stond hij op, voor het raam was niet veel te zien, allemaal zwart geboomte, zodat hij zich weer omdraaide en zijn hand op de magere schouder van Otto legde, de magere botten zacht knijpend en knedend.

'Hou je van mij, Lulu, van Otto, je broer, de soldaat?'

'Ja, ja,' zei Ludwig, naar de donkerblonde kuif kijkend naast zijn hand, en hij dacht: liefde... daar zat veel dood in, veel levenloze lucht. Liefde had ogen, verontrust als die van een zieke. Ja, liefde was de grote vrager, de maan om de klakkerende koets die ging stil zijn gang maar de liefde niet, die vroeg maar en dat had geen einde. Hij dacht aan zijn vele portretten met die ogen zwart als perepitten, die ogen van 'wat is het toch dat ik niet goed heb gedaan?' Ja, liefde was de grote vrager: die wegruisende, al te rechte rug van zijn moeder, de zachte, ondraaglijke treurnis van Sophie, de zeer verheven resignatie van Wagner, de hongerige ogen van Otto.

Geen koning was meer gefotografeerd dan hij, overal stond hij, keek iedereen aan, vol angst en vrees en doodvermoeid van het geschenken geven. Zijn geliefden waren lege vormen, hoe vaak had hij hen niet geprezen in zijn eenzame bed met een hoofd vol slaperige woorden, tot hij zweeg en stil was en dat zelf niet eens wist.

Otto dacht aan de stem van zijn broer boven zijn hoofd, het was een mooie stem die zijn schedel een beetje deed trillen. Hij vreesde het ogenblik dat Ludwig weer weg zou gaan en de vreselijke ogenblikken daarna. Hij wist dat zijn denken zwaar was geworden, langzamer en met te weinig woorden. Hij dacht en sprak en stond dan opeens om zo te zeggen voor een geluidloze grens. Hij praatte maar men begreep hem niet, hij zocht en zocht en opeens schoof dan een stuk tijd naar binnen, vol woede, en dan was het alsof hij een groot rood doek in stukken scheurde. Maar deze stem hielp hem, gaf hem woorden die vanzelf hun weg zochten zoals een paard dat braaf door een moeras sukkelde.

'Vertellen Lulu, vertel je me nog wat moois, wat mooi griezeligs?'

'Herinner jij je de heldenzaal nog Otto, in Hohenschwangau,

Dietrich von Bern met die mooie rug en speer? Ik ben ervoor aan Etsch en Gardameer geweest, daar hebben zijn epen geklonken. Alles was er stil. De laatste Goten hebben zich kunnen redden in de Alpendalen: Neidhart von Reuenthal en Wernher der Gärtner, dat waren rijke boeren, stijf in de kleren zodat alleen de allernoodzakelijkste bewegingen mogelijk waren. Wernher was de dichter van *Helmbrecht*, een gedicht als een mes.'

Otto zuchtte diep en leunde met het hoofd achterover tegen Ludwig.

'Die jonge Helmbrecht van het gedicht wilde niet deugen, Otto, en hij liep weg van huis. Hij werd een struikrover en men zei van hem dat hij zelfs zijn eigen zuster het hoofd op hol bracht. Maar hij wilde haar laten trouwen met zijn geliefde drinkbroeder Lamplwürger en alles wordt gereed gezet: tafels op de hof, kannen met wijn, brood en er is vuurwerk. Er zijn ook lampions. Dan springt de bloedvoogd de hof binnen...'

'Ohh...' steunde Otto zachtjes.

'... en rooft het hele nest leeg... Iedereen moet hangen. Behalve Helmbrecht, hem worden beide ogen uitgedrukt, een hand en een voet afgekapt en de wonden met olie dichtgebrand. Blind, bedelend en kreupel sluipt hij rond en komt steeds weer uit bij de deur van zijn vader, waar hij aan het hout krabbelt. Maar die laat hem er niet weer in, in de zomer niet en in de winter niet. Het is een winters verhaal. Tot een paar boeren zich over hem ontfermen en hem aan de dichtstbijzijnde boom opknopen.'

'Zo droevig,' zei Otto, want hij voelde hoe de hand van zijn schouder werd genomen en hoorde aan de toon dat het verhaal uit was.

'Ja,' zei Ludwig en liep naar de deur, ' "hie endet sich daz maere".'

Hij wilde de deur openen maar merkte met een merkwaardig gevoel van leegte dat er geen deurkruk was. Hij klopte krachtig op het hout, naast hem, heel dicht tegen hem aan stond Otto, een drukkende, ongemakkelijke vlek.

'Je moet vaker komen... ik word anders zo treurig.'

Hij kuste zijn broer vluchtig op de wang, de deur ging open en dicht en hij stond weer in de gang die zo lang was en schemerig. Zwijgend liep hij met Dr. Franz Carl Müller naar de uitgang.

In de hal zei hij: 'U zorgt wel voor verdere regelmatige rapporten?'

'Jazeker Majesteit,' zei Dr. Müller met een wat scheef buiginkje. De deuren werden ontgrendeld, de nacht was stil en glad.

Ludwig aarzelde: 'Als kind,' zei hij, 'speelde Otto veel met schildpadjes... hij kuste ze, helemaal... Men ziet dat beest ook vaak onder de votiefbeelden is mij opgevallen. Het zou, zo heb ik eens gelezen, het symbool zijn van de moeder in de moeder.'

'O ja?'

'Ja, volgens het geloof van de oude boeren kruipt het beest 's nachts uit de mond van de moeder, gaat baden... en keert dan weer terug. Betekent dat iets dokter?'

'Absoluut niets, Majesteit, dat zijn belachelijke bakerpraatjes, hersenschimmen, die hebben echt niets om het lijf.'

'Hoe noemt men eigenlijk de ziekte die mijn broeder heeft, dokter?'

Op dat moment gebeurde er iets merkwaardigs, diep uit het gebouw klonk een zacht geloei, klaaglijk maar het werd steeds harder. Het was alsof het met grote stappen uit de schemerige lange gang kwam aandraven, steeds luider en luider, tot het levensgroot en duidelijk was: een in uiterste wanhoop, lang uitgerekt gillend 'Otto!!... Otto!!... Otto!!', heel vreemd, want het klonk zo duidelijk als een kreet om hulp. Het gezicht van Dr. Franz Carl Müller vertoonde een wat scheef superieur glimlachje en weer was er even dat buiginkje. 'Majesteit, wij noemen de ziekte niet alleen zo, het ís een fobie.'

'Ach so,' zei Ludwig, hij gaf de dokter een hand en stapte in.

Toen de koets wegreed keek hij naar buiten, er was veel maan zodat hij de weg die hij al slapend was komen aanrollen helder kon zien.

Kainz

Loom en zwaar neeg de middag ten einde, het was zo'n overrij-
pe zomermiddag die Ludwig voor zichzelf 'ein Schwangauer-
chen' noemde, wat wilde zeggen dat lichaam en natuur onder
de verre dreiging van een onweer wat slaperig samenzwollen
in een overdadig groene en donkerblauwe eenheid, vol verre
geluiden en beloften. Achter de rand van het balkon lag het
meer, strak en glad als metaal, een helwit vlak dat in het oog
beet en waarin heel in de verte, roerloos en zwart de stoomboot naar Starnberg was opgenomen.

Verstrooid bekeek Ludwig de gravure voor hem op het tafeltje. Het tafeltje stond niet goed, te dicht bij het open raam,
zodat het teveel aan licht hem hinderde bij het kijken. Graveur
Seitz had eigenmachtig het slapende ros Grane maar buiten de
rand gesloten en gekozen voor het moment waarop schild en
helm al waren verwijderd en Brünnhilde, nog steeds in slaap,
maar al met een diep bevredigde gelaatsuitdrukking, bijna geheel was te zien. Alle rondingen en golvingen van haar al te
menselijke gestalte waren nauwkeurig te volgen, daar zij volgens de artiest Seitz gehuld moest zijn geweest in een zeer
dunne en nauwsluitende maliënkolder, zelfs haar benen waren
hierdoor bekleed en kwamen achter de linkerdij van de held te
voorschijn, lang en slank en meerminachtig met elkaar ver-
smeltend. Dat was zeer bedenkelijk, eigenlijk was het enig
goede aan de gestalte van Brünnhilde de naar de richting van
de kijker toe over de rotsrand afhangende zware hand, een
beeldhouwstershand.

Ludwig schoof de prent wat heen en weer maar steeds moest
hij een deel offeren aan het nog te scherpe licht: wilde hij Siegfried goed in het oog vatten dan kostte hem dat een niet gering
deel van Brünnhilde en omgekeerd. Daarbij paste ook de held
niet helemaal in de voorstelling van de koning, die toch met
naar hij meende een eindeloos geduld Seitz de scène had uitge-

beeld. In Brünnhilde sliep de natuur, diep en zwaar, geharnast, en het naderen van de door Sieglinde gebaarde redder en held Siegfried was dan ook een groot gebeuren, dat om zo te zeggen alleen staande en door een koning kon worden uitgelegd met machtig gebarende armen en veel oogwit. En inderdaad was het geweest alsof Ludwig II van Beieren voor de ogen van de wat onthutste Seitz zich benaderd zag door niet meer te omlijnen machten die groots en overmachtig zijn schild afnamen, zijn helm afrukten, met het zwaard zijn harnas open braken en zagen... Volgens de tekst deed de aanblik de held sidderen... sidderen! Maar deze Siegfried, hoewel goed omwikkeld met leren riemen, kuitig en gespierd als geen, breedgeschouderd en zwaar als was hij weggerukt uit een monument voor gevallenen, miste iets maar door een teveel aan licht viel moeilijk vast te stellen wat. Boven op het heldenhoofd rustte een koket gevleugeld helmpje, een bespottelijk modieus dopje dat noch in het gevecht, noch bij het grote doen ontwaken van enig nut kon zijn. Maar het hinderlijkste was nog de gelaatsuitdrukking van de held: uit de ogen glom een uitgesproken sluwheid, een niet goed te begrijpen glimmen en glanzen en verder was op raadselachtige wijze door baard en snor een wulpsheid geweven die de koning, met zijn neus vlak boven de gravure en de lijntjes van de naald nauwkeurig volgend, maar nergens kon betrappen.

'De jongeheer, de toneelspeler is gearriveerd...'

Het duurde even voor de ijlhoofdige koning de weg terug had gevonden van de *Nibelungen* naar de ruzie tussen zijn theaterintendant Possart en Perfall. De een zag in een speler uit Meiningen die, na zich te hebben gepresenteerd in een gastvoorstelling, in aanmerking wilde komen voor een aanstelling aan het Hoftheater een aankomend genie en mogelijk nuttige gunsteling, de ander een talentloze opschepper die zo snel mogelijk kon opduvelen. Met dit laatste zou de zaak zijn afgedaan wanneer Possart niet met een ongekende verbetenheid zijn bureauladen had uitgemest (bleiben muss der junge Mensch...

die schwärmerischen Augen werden dem König gefallen) tot
hij de fotografie had gevonden en deze via diens kamerdienaar (een geslepen en naar hij ten onrechte meende zeer dis-
creet knaapje) de koning in handen had gespeeld.

Het antwoord liet niet lang op zich wachten: 'Schnellstens
vorführen,' en dat gebeurde dan ook, aan het eind van een
middag vol onweersdreiging, gravure en scherp licht en op het
moment dat loom en broeierig de geluiden veranderden en
droefenis aansloop over het water.

'Geruhen die allergnädigste Majestät denselben betrachten zu
wollen?' Traag stond de koning op, wachtte even, liep toen op
de tenen het vertrek uit en stelde zich geruisloos op achter een
groepje zorgvuldig dicht op elkaar geplaatste palmen. Als Za-
chaeus in de boom wilde hij wel zien, maar niet gezien worden.

Het hoofd diep tussen de schildpadgroene bladeren, volkomen roerloos, keek de koning naar de jongeman die bij het
raam stond in het volle licht, even roerloos als de koning zelf,
het hoofd, scherp luisterend, een ietsje scheef. De weelderige,
bijna overdadige haardos glansde en fonkelde van de brillan-
tine, alle krullen en slagen leken met de grootste zorgvuldig-
heid gemodelleerd, slechts een enkele krul was het toegestaan
spontaan over het voorhoofd te vallen maar al op afstand was
te zien dat ook deze onherroepelijk stijf stonden van de pomma-
de.

De donkere prikkende ogen, waakzaam voor ieder gerucht,
staarden schuin omhoog naar de zoldering, de gelaatskleur was
opvallend bleek wat aan de ogen nog een extra donkerte gaf,
de mond was breed met sterk gewelfde en gevulde bovenlip.
De linkerarm hing slap en vergeten naar beneden maar de
rechterhand werd traag, als diep in gedachten geheven. De gestalte, overslank in het nauwsluitende rokkostuum maakte op
de een of andere manier een lenige indruk. De enige wanklank
waren de lakschoenen, zeer fraai en elegant maar getooid met
plompe rozetten. Doodse stilte heerste in het vertrek, de om-
hoogkomende hand, zilverdoorschenen spitsen aan de toppen

door de lange nagels, haalde uit de borstzak een klein spiegeltje te voorschijn waarin enkele details nog even snel werden doorgenomen, de haarlok even aangeraakt, de wenkbrauwen met kokette tipjes van de middenvinger even met speeksel bevochtigd, een glansje op de lippen door even een snel flakkerende tong. De koning bewoog niet en keek, keek hoe het spiegeltje weer werd opgeborgen en uit de broekzak een foulard werd gehaald die al luisterend en speurend om twee vingers werd gerold met elegant geheven pink waaraan een ring fonkelde en glinsterde. De koning keek hoe de rol met zekere en snelle bewegingen achter de broek werd geschoven waardoor de gulp sterk naar voren bolde. Daarna, terwijl hij zich langzaam omwendde naar het raam beademde de speler zijn nagels waarna hij ze zachtjes en liefkozend polijstte op zijn revers. Toen Kainz eindelijk met de rug naar de kamer stond gleed de koning even geruisloos weer uit het vertrek. Ook hij ging in zijn werkkamer aan het venster staan en staarde voor zich uit in de beurse namiddag. 'Een kleine proleet,' zei hij ten slotte tegen het uitzicht.

De kamerheer, dieper buigend dan gewoonlijk, onraad speurend, sloop na een inleidend kuchje naderbij: 'Heb de eer Uwe Majesteit alleronderdanigst te mogen verzoeken of Allerhoogstdezelve...'

De koning wuifde af: 'Laat hem weggaan, ik heb geen tijd,' en hij wachtte aan zijn venster tot hij het rijtuig hoorde wegrijden. Daarna ging hij weer aan zijn tafel zitten, haalde de foto van Joseph Kainz die Possart hem had laten toefutselen uit een lade en legde hem op de gravure, zodanig dat Brünnhilde op wat gladde voeten na geheel werd bedekt. Na enige tijd vond de koning deze Siegfried 'toch niet slecht... nobel van gestalte in de herinnering, edel van blik op de foto, alles bij elkaar zelfs verheven...'.

Op de zitting tegenover zich had de koning het portret geplaatst, het leunde licht achterover en werd zacht overstraald door het kleine olielampje dat er ingenieus naast was bevestigd waardoor het vlammetje diep in het hoofd van Kainz werd weerspiegeld.

Het portret stak in een brede gouden lijst, zwaar en rijk aan ornament, die vele jaren op het bureau de beeltenis had omvat van koningin-moeder Marie. Zo reed de koets door het kleine stukje van de zomernacht waarin het nog donker was in lichte draf en Ludwig had bevel gegeven zoveel mogelijk boswegen te kiezen omdat hij het zolang mogelijk donker wilde hebben om zich heen.

Voor zich uitstarend zonder naar iets bepaalds te kijken kon hij de donkere boomgroepen zien voorbijglijden in de beide vensters en tegelijk de goudomrande beeltenis voor zich uit zien zweven als een visioen. Op die manier toonde de koning Kainz zijn nachtwereld, die wereld van roddel achter de hand en fluistering, van plotselinge kouflarden en sneeuwgeur, hoog en diep watergeruis, vogelschrei en roze bergtoppen in het eerste licht.

De vrede was verdwenen in het hoofd van de koning maar het was een hoofd geworden propvol gebaren en melodieën die rijk en levend maakten. Drie maal had hij Kainz gezien in Hugo's *Marion de Lorme* waarin hij de rol van Didier speelde, en met stijgende verrukking had hij zich die stem door en door eigen gemaakt (das wundervolle Organ! dieses nervöse, flakkernde, lodernde... ahh dieses akustische Brillantfeuerwerk!).

Het was een stem waardoor bepaalde woorden als bij een obsessie niet meer wilden verdwijnen en maar bleven klinken. Dat waren woorden die buiten de tekst om zo lijfelijk borst, keel en mondmusculatuur vertegenwoordigden dat de koning zich een dag lang om en om had gewenteld op zijn bed in de verduisterde kamer, even verrukt als gekweld door hardnekkige, innerlijke klanken.

Na de eerste voorstelling had de koning een gouden ring met saffier laten brengen, na de tweede een gekroond briefje: 'Fahren Sie so fort in Ihrem so schweren aber schönen und ehren-

114

haften Beruf, wie Sie so herrlich begonnen haben.' Maar na de derde voorstelling had de koning niets van zich laten horen, licht ontstemd als hij was geweest dat Kainz als Didier trots de ring met saffier had gedragen, wat in het geheel niet paste bij de rol. Maar de stem klonk er niet minder stralend om in het hoofd van de koning en de rol was er hem niet minder dierbaar door geworden. Integendeel, al voortdravend met zijn vriend door de bergen en bossen overwoog de koning de pracht en de kracht der rollen: de machtige, beschermende graaf Saverny en de verrukkelijk hulpeloze, thuisloze, tot het uiterste kwetsbare Didier.

Naar het portret van Kainz kijkend ontstond in de schuddende koning langzaam een overweldigend verlangen naar beschermende daden; wat voor zich uit soezend ontzetten zijn soldaten een in hopeloze gevechten gewikkelde Kainz die hij zich voorstelde als een bleek gezicht, dodelijk geschrokken tussen donker worstelend volk, vaag en ver sprak hij bezwerend en levenreddend rechters toe, ontwikkelde duistere taferelen vol dreiging en ernstig mannelijke mannen die eden zwoeren, elkaar de hand drukten en in de ogen staarden. Monumentale maar toch mollige visioenen die zich vermengden met een doorbrekend perspectiefje van het landschap waarin opeens een al in het blauwgrijze ochtendlicht glorende weide veranderde in de Rütliweide.

Ontroerd boog de koning zich voorover, overweldigd door het opflitsende verbond van *Tell*-teksten en Didier. 'Kainz,' zei hij schor, 'ich will das du mich liebst,' maar hij wachtte het antwoord niet af, als geschrokken legde hij twee vingers op de mond van het portret en zei: 'Weil ich es innerlich sehr schwer habe.'

De uitnodiging naar Linderhof te komen (de koning wilde hem nader leren kennen en zou het op prijs stellen als hem enkele fragmenten zouden worden voorgespeeld uit het klassieke repertoire) werd Kainz door de almachtige lakei Hesselschwerdt tijdens een repetitie van *Richard* III overgebracht in een afgepaste, zwijgende verachting, maar middels een fraai gekroond, grillig overkrast en licht naar viooltjes geurend briefje. In de missive gaf de koning zich ernstig geluimd uit voor de Marquis de Saverny en richtte zich tot ene 'Didier'.

Kainz kon een lichte irritatie niet onderdrukken, dat hele Hugo-stuk vond hij maar 'Schmiere und Fondantfrass', maar de Marquis bleek even machtig als een markies uit een sprookje en voort ging het, met een haastig gepakte koffer, in galop door de residentie, naar de extratrein die hem tot Murnau bracht en vandaar voort en verder in snelle draf per rijtuig naar het Graswangtal.

In de salonwagen, door al die blauwe en glanzende luxe zichzelf vreemd en veraf had Kainz, die geheel alleen reisde, ampel de gelegenheid om over alles na te denken: een koning!... deze koning... en dan zijn volledige onbekendheid met het ceremonieel, dat kon alleen maar voeren tot een potsierlijke struikeltocht voordat hij definitief op zijn gezicht viel. Een tijdlang overwoog hij ook achter de uitnodiging eventuele intriges door van nijd verteerde collega's maar ten slotte zakte hij berustend achterover in de zachte zijden kussens met een 'also Servus bei'einand, mehr als hing'richt kann ich net werden', en hij verviel in dommeltjes en dutjes die aan de treinreis, de geoliede aansluiting van trein en koets en de haast die over alles hing een wat droomachtig aspect gaven. Onhoudbaar zag hij zich afglijden door een gigantische trechter, dan eens zus, dan eens zo naar een blote, madeachtige koning die met harige smikkelmond op hem zat te wachten als op een gerecht. In de momenten dat hij wakker was staarde hij afgunstig naar buiten, naar een voorbijglijdende boer of gewone dorpeling en leed onder de vereenzaming van het uitverkoren zijn.

Laat in de avond kwam hij in Linderhof aan, slaperig kon hij de wirwar van lakeien, stalknechten en chevau-légers niet goed overzien. Hij werd voorgesteld aan een graaf Von Bürkel, een magere, wat bedroefde schoolmeester met een lage stem die een volle pas terugdeinsde toen Kainz plomp zijn hand uitstak, liep de verkeerde lakei achterna bij het naar binnen gaan maar kwam uiteindelijk toch in zijn kamer terecht waar hem werd verzocht zich om te kleden daar de koning hem verwachtte in de blauwe grot.

Kainz raakte het gevoel niet kwijt dat de haast die hem vanaf het begin van de tocht had vergezeld nog steeds onverminderd aanwezig was. Het liefst had hij maar wat gegeten, met een fles rustgevende wijn om dan naar bed te gaan, maar de koning wachtte, Von Bürkel trouwens ook, die hij buiten zijn deur met afgemeten tred heen en weer hoorde stappen.

Gespannen en nerveus door wat hem te wachten stond lette Kainz maar weinig op de barokke pracht van trappen, hallen en portalen en liep naast Von Bürkel voort met evenveel aandacht voor zijn omgeving als een brevierende monnik. Onderweg vertelde Von Bürkel uitvoerig hoe hij zich te gedragen had: de koning niet aanzien, direct diep gebukt gaan staan met recht afhangende armen, niet spreken maar wachten op wat Zijne Majesteit sprak. Op een plaats waar tussen donkere bomen Von Bürkel blijkbaar de weg was kwijtgeraakt en bleef staan schoten twee gestalten naar voren. Kainz vreesde een complot, een overval en de angstschreeuw was al bijna uit zijn strot toen in de ruimte een deur werd geopend waar hij snel doorheen werd geduwd, waarna de deur weer even snel achter hem werd gesloten.

Vochtige badhuiswarmte, toneelmaanlicht, flits van een gouden gondel tegen een achtergrond van wolkende blote figuren, in het water golvend herhaald, daarna zijn eigen voeten: keurige lakschoenen op grijsgrauwe kunstrots.

Kainz voelde zich, gebukt als een negerslaaf, zweterig en belachelijk, te meer daar er niets gebeurde, geen begroetend gejodel of trompetgeschal na al die ruimte en haast. Water pinkelde en klokte en in de verte klonk een zacht gebonk, allemaal verspreide lichtblauwe geluidjes om hem heen, terwijl hij naar zijn benen keek die hem in zijn gebukte houding zeer vreemd voorkwamen.

Tot opeens de koning sprak, een wonderlijk stromen uit de mond was begonnen, woorden welden op uit het koninklijk innerlijk waarvan niet te begrijpen was hoe die daar tevoren in waren gekomen. Mogelijk waren het schimpscheuten geweest. De stem was diep, niet onprettig, en verrassend dichtbij, op de schouder, aan het oor, tegen de wang, ruisend en vertrouwelijk als van een toneelkapper. 'Deze grot is mijn lichaam, slechts als bruid te betreden, in rouw slechts te verlaten. Daartussen illusies, zoals de droom dat mijn lippen over een harde smalle rug stroomafwaarts zouden kunnen drijven als een gouden gondel op een rivier, of het speuren naar lichtblauwe aderen onder een witte huid en het volgen daarvan met mijn koninklijke vingertop, of het houden van een marmerkoude voet in warme schoot en handen. Gedrenkt zijn we in onze humores, verdrietig en ellendig vereenzaamd in onze lijven maar in de poëzie ontstijgen we die vochtige, kleverige broedplaats. We varen over onze weerspiegeling, blauw, rood, groen al naar we maar willen, alleen met de zonde. O heilige koning der koningen, alle minnaars hebben hun dichters diep in zich, maar alles wat ze zeggen wordt omgedraaid en het worden maar schommelende, onelegante zwemmers. Ach Kainz! wie benaderde een koning zo van binnen? Bist du endlich da?... erhebe dich.'

Kainz ging gehoorzaam rechtop staan, voelde zich niet minder belachelijk en zag humeurig hoe midden in het vijvertje de in een blauwe mantel gehulde koning stukjes brood aan twee zwanen toewierp die, nauwelijks hongerig, nu en dan traag de halzen over het water strekten en toehapten. Het viel hem op dat, hoe zacht, bijna fluisterend de koning ook sprak, alles wat hij zei duidelijk te horen was.

'Voor ik je daar zag staan Kainz, sprak ik met een vlieg hier in de grot. Ze zijn hier graag, buiten zijn ze niets, stipjes, komma's in de zonneschijn, maar hier binnen in mij ronken ze en dreunen en janken door de lucht. Ik heb van hen leren houden in mijn jeugdmiddagen in Hohenschwangau en ik ken ze goed;

de gewone vliegen, de trotse blauwgroene en de elegante horzels. Het liefste huizen ze in peren Kainz, hele nesten hangen soms in de bomen, vruchten van vliegen, alleen bekleed met een schil, hun harmonie is de zoete vruchtensap. Soms plukte ik er een voorzichtig af bij de steel en wierp hem in de zon op het gras waar hij blauwgroen explodeerde met het geluid van een heel ver huilend kind. O jeugd, o koning.

Kainz, is het hier mooi?'

Kainz boog en knikte: 'Zeer mooi Majesteit.'

'Is u de plaats bekend in *Tell*: "O, eine edle Himmelsgabe ist das Licht des Auges"?'

'Majesteit, ik meen van wel.'

'Welnu dan,' zei de koning en roeide zachtjes verder.

Kainz declameerde, maar hij werd sterk afgeleid door de grote blauwe man met de hermelijnen kraag in het glimmende bootje, de zwanen, de kneuterige, belachelijke rotsjes, het wonderlijke decorgewemel dat hij maar niet goed kon thuisbrengen, en daarbij veranderde hinderlijk genoeg ook steeds het licht van blauw naar rood en groen en weer terug. Zo, voortdurend afgeleid, zag hij zichzelf daar staan, hoorde een stem die hij niet herkende, aan de rand van dat meertje, in zijn veel te nauwe rokkostuum met witte das. Een willekeurige uit München weggesleepte en daar neergeplakte armzalige domestiek, en moeizaam worstelde hij zich door de zinnen heen.

Stilte met nu en dan wat plasgeluiden. Zwijgend roeide de koning naar de kant, maar hogere machten hadden blijkbaar nauwlettend toegezien en begrepen want nauwelijks stootte het schulpje tegen de wal of de deur ging open en naar binnen draafden enkele lakeien, Von Bürkel in hun midden, zelfs iets voor hen uit.

Voorzichtig werd de traag en breed bewegende koning op de kant geholpen als gold het een drenkeling. Uit de grote blauwe mantelgebaren was al op te maken dat hij klaagde, maar het was ook duidelijk te horen: hoog, wat huilerig, maar helder verstaanbaar buitelden de woorden door de spelonk: 'De jongeheer heeft als Didier heel anders gesproken. Nee, nee... hij is impossible, hij spreekt net als een gewoon mens, daar heb ik toch geen theater voor nodig...' waarna ogenblikkelijk het troostend gebrom van hofsecretaris Von Bürkel inzette dat eindelijk door de deur werd afgebroken.

Direct verkleinde zich de blauwe grot tot een wezenloos nakabbelend badvertrek, zwijgend werd Kainz door het donker de weg terug gewezen naar zijn kamer waar hij aan zijn lot werd overgelaten. Wee van de honger beende hij daar een tijd lang heen en weer met een hoofd vol vervloekingen: 'Dieser Schnorrer, dieser Pagenerzieher... dieser millionenschwere Schleimscheisser mit seinen vernöckten Schellfischaugen, wie sich so ein infames Stinktier benimmt...' Maar het perspectief van de nachtzwarte ongenade kreeg toch de overhand: 'Gott,' steunde hij terwijl hij zich uitkleedde en de illustraties overzag van honger, bijrollen, provincie en derderangs hotels, 'ist das ein beschissenes Leben.'

Moeilijk viel hij in slaap en droomde al wentelend dat al zijn haren uitvielen, met iedere streek van de kam hield hij tot zijn afgrijzen hele bossen in de handen. Het deed hem wakker schieten in een klassieke pose der wanhoop: half overeind, beide handen vertwijfeld aan de schedel.

In de grauwe ochtend dwaalde hij met zure maag door een hol, almaar stil blijvend paleis waarin de verre ochtendlijke vreemdheid van de opgehoopte rozetten, pauwen, bustes, mozaïeken, fresco's, vazen, krullend en kronkelend meubilair hem zo ijl en dun maakte in het hoofd dat hij nu en dan weer bezorgd naar zijn lokken greep om te voelen of ze er nog wel waren en vast zaten. Dribbelend langs baldakijnen, praalbedden, over tegels en parket in een uiterste aan verlatenheid en verveling ontdekte hij aan een wand een bijzonder fraai ingelijst gedicht. Het had opeens iets van de warmte van een menselijke stem en zich wat kleumend warmend aan dit kleine vuurtje boog hij zich voorover en las 'Freundschaft' boven een tweeëntwintigregelig vers, een knullig poëem, maar een instinct waarschuwde hem dat het hevig uitwaaierende en krullende handschrift wel eens van de koning zelf kon zijn. De volle maag studeert niet graag, een lege des te beter en na korte tijd zat het gedicht in zijn hoofd als een laatste verdediging en redmiddel: alle registers open aan het begin, een intens bewogen fluistering in het midden, en dan naar een eind dat ze in München zouden kunnen horen.

Laat in de middag ontwaakte de koning, dat wilde zeggen opeens waren er overal geluiden: hoog, laag, veraf, dichtbij. Fonteinen begonnen te spuiten, vogels te kwinkeleren en, bij Zeus, er was ook eten, overvloedig, alsof er altijd eten was geweest. Kainz at alleen, uitgehongerd was hij er na aan toe met zijn handen te eten maar hij beheerste zich voor de wonderlijk druk heen en weer dravende lakeien. Een paar maal liet hij zich opnieuw bedienen tot hij eindelijk zachtjes hikkend, vadsig en vol achteroverleunde, gebruik makend van iedere gelegenheid dat er niemand in de buurt was winden te laten en wat portretten aan te boeren van achttiende-eeuwse dames en heren die vanaf de wanden door hem heen keken.

Hij werd slaperig, zegende het feit dat hij met rust werd gelaten, maar overwoog toch hoopvol dat naarmate de middag vorderde de mogelijkheden die dag nog zinvol af te reizen steeds geringer werden. Opeens opgeschrikt uit een dommeltje leerde hij dat de koning hem toch wilde ontvangen en wel, zo bleek, ergens achter in een grote zaal waar hij, gekleed in plechtig zwart en met een reeds van verre fonkelende, stervormige orde Kainz langdurig op zich toe liet komen.

Het bleek dat de som van vele verborgen gebeurtenissen Ludwig had doen besluiten, ondanks de bittere teleurstelling in de blauwe grot, Kainz toch zijn Linderhof te tonen.

Direct al orerend zette de stemmige vorst zich in beweging, met grote wiegende pas. Geluk had hij gehad de hand te kunnen leggen op Franz Seitz, Kainz moest hem toch kennen: theaterdirecteur, niettemin decoratieschilder, een wat slordige kenner der *Nibelungen* maar verder een achttiende-eeuwer in bloed en gebeente, met een feilloos oog voor ornamentiek, kostuums, rekwisieten en verlichting. Hij had deze wanden gemaakt, ook de praalkaros trouwens waarin ze mogelijk nog eens zouden rijden.

'Ach, ach! o ho!' riep Kainz om maar blijk te geven van zijn verrukkingen, maar de koning stond opeens stil en verzonk in gepeins, een vingertop streelde bedenkelijk de haartjes op de bovenlip: 'Daar is,' zei hij, 'de lakei Mayr. Ik trof hem voor het eerst voor de gevel hier in volle zonneschijn. Hij spleet daar een wereld om zo te zeggen, want hij boog niet, maar staarde voor zich uit, voor zich heen, naar een fontein of zo, de bergen...'

'Ach ja?' zong Kainz, voeten en handen zo elegant mogelijk aaneengesloten. 'Ja,' zei de koning, 'verder is alles Dollmann hier, die bronzen beelden zijn van Seder, beachten Sie die vier grüne Plastronkandelaber pariserischer Provenienz. Der wertvolle Paravent da... von dem Herzog von Modena. Nun gut...'

Kainz schoot op een bronzen kereltje af en raakte het aan met fijnzinnige vingertoppen. 'Veel van Versailles heb ik gebruikt,' zei Ludwig, 'maar dan plastisch gemaakt, met blad en bloesem bedekt, ik ben een man van zinnen.' Hij had een gaaf gezicht, met veel gebeente en veel mondwerk, een benig zuiggezicht.

'Zeker Majesteit,' zei Kainz die trachtte een voor alle richtingen bedoelde bevestiging, bewondering en begrip te stileren in één enkel elegant gebaar. De schreden van de koning knarsten zwaar op het karpet, terwijl hij wees op de overal woekerende acanthustwijgen waaruit steeds weer verrassende figuren opdoken, rond, vol en week.

'Wagner,' zei Ludwig, 'die Fransen zijn me toch te symmetrisch en ik voel me niet symmetrisch, ich fühle mich... bayrisch...! Hier deze pauw, voel eens langs de hals met een vinger, kijk eens naar die kop: onbewogen en alleen, dat is eenzaamheid, maar wie heel goed langs de hals streelt voelt nog het zoeken er in. Zijn livrei was vaal, duidelijk hier en daar gestopt, het was windstil en hij rook muf. Nee hij was niet sympathiek maar wat kon ik doen?'

Kainz maakte braaf een gebaar van lichte wanhoop en berusting, hij had het moeilijk: aan alle pracht en praal kon hij niet zomaar achteloos voorbijlopen, onderbreken mocht hij de koning niet en antwoorden was ook ingewikkeld daar hij niet precies wist waar de koning het over had. Bleef slechts de vage pantomime over, gebaren van 'o, kijk daar eens!' en 'wat hebben we hier!' en dan ook weer niet al te nadrukkelijk, eerder wat verdroomd door de grote aandacht voor de woorden van de koning die toch ook moest blijken.

'Kijk goed naar die tafels,' zei Ludwig, 'die zware rocailles vol slangen. Veel foto's heb ik daarvan laten maken in Würzburg en Bayreuth. Pössenbacher maakte ze, voor mij en voor de eeuwigheid. Heeft ie in Parijs geleerd, daar kunnen ze nog achttiende-eeuwse meubelen maken. Hier is mijn slaapvertrek, alles koningsblauw, wanden ivoorwit, die pastels zijn naar Watteau en Boucher, alleen de schilder en ik weten dat ze niet echt zijn.'

'Twee te veel,' mompelde Kainz met alles zegenende handen. 'Ik stond een tijd voor hem, de handen in de heupen maar hij besteedde geen aandacht aan mij, aan mij! de koning! Hij heeft angst mij te herkennen dacht ik, misschien was dat niet zo maar het was toch in ieder geval een mogelijkheid. De zon was heet, de lucht wit en droog, alles was stil. Ik schraapte de keel, richtte mij hoog op, stampte met de voet op de grond zodat het stof omhoogdwarrelde. Anderen kwamen voorbij, bogen diep, ik groette terug.'

Kainz sloeg de handen ineen. 'Let op die luchters,' zei Ludwig weer verder benend, 'Meissen-porselein, die vloerkleden zijn van een gobelinfirma in Parijs, er zijn pauweveren in verwerkt, let op die klok. Dit alles is een koning waardig: stijl, waardigheid, smaak, pracht. Niet gekocht maar bevolen, afgedwongen... en daarna betaald.'

Ze stapten de late middagzon in, er lagen al veel lange schaduwen in de tuin. De dikke hand van de koning zwaaide en wees als die van een dirigent: Diana, Adonis, Neptunus, hele terrassen van cascaden heb ik laten aanleggen.' Kainz bekeek met lichte kreetjes alles waar hij een halve dag tegenaan had lopen geeuwen: de bassins, de rassades, de pavillons, Tritonen, Palmettes. Ze daalden trappen af, bestegen weer andere omrankt door groen. De koning stak zijn neus in het groen gebladerte: 'Ahh, ich habe ein Faible für das Benediktenkraut, extraordinaire Duftcomponente. Deze vazen en urnen zijn van majolica, die stukken tuin zijn Spaans à la Granja. Ik ging voor hem staan, zo te zeggen in het pad van zijn blik. Langzaam, als met pijn vestigden zijn ogen zich op mij, lichtten een moment op: vreugde? woede? maar het waren alleen zijn ogen, het grove gezicht met die dikke onderlip bleef onbeweeglijk. Ik snoof diep zijn lijflucht in, dat is er nog echt een uit het boerenland dacht ik, hij rook als een eskadron dragonders, naar hooi, paarden en regen. Ik was begonnen met te veronderstellen dat hij mij vreesde, dat was ook meer dan waarschijnlijk, maar ik begon te twijfelen, misschien was het wel ongeduld, of ergernis of... verachting!...' Kainz zweeg, hij staarde uit over wat kogelboompjes, colonnades, en rook nu en dan een vleugje chloraalhydraat.

'Dat trekt mij nou,' zei Ludwig, 'dat lage, dat vulgair grove van de lakei, dat donkere en van haat vervulde. Hij draagt nu een masker, als een middeleeuwse lepralijder. Rouw over onze liefde. Begrijp je Kainz... Joseph?' Kainz maakte een lichte buiging maar voldoende om de blik van triomf in zijn ogen te verbergen.

Ze staarden naar het midden van het park, naar de Venustempel. 'Eerst wilde ik daar Apollo hebben,' zei Ludwig, 'de god van de poëzie, maar ik koos ten slotte Venus, ze staat boven alles. Watteau heeft een schilderij gemaakt van een optocht op het sprookjeseiland Cythère, die Venus moest het zijn.'

'Mooi,' zei Kainz na een poosje.

'Ja,' zei Ludwig droevig, 'ich liebe die Poesie des Königtums.'

Zes schimmels met blauwwitte pluimen trokken de karos, de voorste twee paarden werden bereden door pikeurs in Franse livrei, aan de spits reed de stalmeester met een lantaren.

De voorbereidingen waren spookachtig geweest: onwezenlijk bezige rijknechten kwamen op en verdwenen weer; hooggelaarsd in witte rijbroek en blauwe livrei, bepruikt en met driekante steek.

Zwaar en zwijgend stond de koning op de trappen, plotseling paardengetrappel, gehinnik en de koets was voorgereden in een drukkende ernst.

Kainz had zich vergaapt aan het wondere vehikel, het was een soort ineengeperste Galerie des Glaces op wielen in wijnrode, pauwgroene en blauwzijden koningskleuren. Alles omkranst en omkruld door gouden en zilveren ornamenten: omhoogflakkerende bazuinengelen, flonkerende trofeeën, emblemen en aigrettes. IJzer, spaken, wagenveren, dissel, alles was erdoor overwoekerd. Een Byzantijnse koortsdroom waarin toch alles omhoog streefde en stuwde naar de machtige gouden koningskroon op het dak van de koets.

Bedremmeld had Kainz zich na een wenk tegenover de koning gezet; hij moest tot zijn verbazing een lampje in de handen houden. Het portier sloeg dicht, stemmen klonken, een zweepslag knetterde en zacht rommelend had de koets zich in beweging gezet. Kainz zat rechtop als een plank, ongemakkelijk in de ogen geschenen door het lampje kon hij maar weinig van de koning zien: een zwarte massa waarin het bleke, onduidelijke ovaal van het gezicht, en vaag daaromheen hetzelfde onrustige gekrioel als buiten op de koets.

Nu en dan mompelde de koning iets onverstaanbaars, ook zuchtte hij een paar keer diep. In het geheel sprak hij gedurende de tocht maar driemaal: de eerste maal heel langzaam en bedachtzaam alsof het de vrucht was van veel gepeins: 'Ja, das tun wir, wir machen eine Reise nach der Schweiz.' Lange tijd daarna zei hij klaaglijk: 'Nicht wahr, uns beide kann nichts trennen?' De laatste maal liet hij stilhouden bij een herberg en zei tegen Kainz: 'Ich möchte ein Glas Wasser haben.'

Het duurde enige tijd voordat er iemand aan de deur verscheen, maar toen ging alles snel: mensen in nachtgoed liepen nieuwsgierig speurend naar buiten, renden opgetogen weer terug om anderen te halen. Er waren ook kinderen, enkele stonden vlak bij de koets. Kainz bracht het lege glas weer terug, zette het op tafel in een vertrek waar twee vrouwen aan het raam stonden. Weer in de gang liep hij even verkeerd, en hoorde daarom al teruglopend: 'Haben wir einen schönen Kini,' gevolgd door: 'Döskopf! doas woar nicht unser Kini, das dicke grinsende Zwitterwesen doa in dem Goldkäfig, doas ist der Kini vo Boarn.'

Op een stralende junimiddag ontwaakte de koning, of liever hij werd bijna wakker. Op de rand van ontwaken lag hij een tijdje naar de zoldering te staren zonder nog aan iets bepaalds te denken. Loom en zwaar voelde hij zich in bed liggen, luisterde naar de eigen ademhaling en wanneer hij even bewoog rook hij de eigen zware lichaamsgeur. Hij had die nacht sterk getranspireerd en die geur, licht zurig, kon nog evengoed horen bij het komende ochtendritueel als het soezerig herinnerde opdrogen na het zwemmen in de zon, of het ziek zijn heel vroeger waar altijd wel azijnomslagen aan te pas kwamen.

Moeizaam vormde zich in zijn slaperig brein een gedachte, eerder was het een rijtje beelden die traag na elkaar verschenen maar die zoiets betekenden als 'ik zal opstaan, ik neem een warm zomers bad, ik zal aan de oever van het meer gaan staan en turen in het lichtgroene water waarop het licht wiebelt'. Lang wilde hij daar staan, leeg en warm als een plant, deze dag deed met niemand mee, die was voor hem alleen en langzaam, een blote dikke arm rechtop, trok hij tegen het ochtendlijke plafond een cirkel. 'Daarbinnen ben ik,' dacht hij naar zijn dikke, bleke vingers kijkend, de vertrouwde mollige hand en opeens wist hij het, maar met een licht gevoel van spijt dat hij er helemaal wakker door was geworden: hij voelde zich gelukkig.

Na het wassen en ontbijten ging hij niet naar het meer, hij was dat voornemen alweer vergeten, het verlangen om warm en zonnig te staren had zich elders genesteld zodat hij zich op het terras aan tafel zette om daar aan Kainz te berichten dat ze samen zouden reizen naar de wonderschone oerkantons. Vaagjes nog aan de cirkel denkend tegen het plafond schreef hij in de brief: 'Taktlose zudringlichkeit der dortigen Fremden auszuweichen ist nötig. Hoffentlich ist für uns ein wohnliches Privathaus an den Ufern des Klassischen Sees zu bekommen. Geliebter Bruder, teurer Didier. Saverny.' Deze brief hield hij even tegen de wang en liet hem toen verzenden.

Zo'n vreugde is de goden verzoeken: lauwwarm krulde de wind zich over het meer, langs de oevers en tegen de bergen, bloedverdikkende nevels vol geur van bloem en blad legden zich over het donkere doodstille water in de avond. Donker en afwachtend lagen de bergen, de Rigi, de Pilatus om het meer, armen over elkaar, en wachtten, en overal op hun flanken pinkelden ze kneuterig van de voorpret. Een boot, al verlicht als een oranje druiventros, trok een wit kloppend spoor over het water, verre geluiden hingen weer met die lichtjes samen en diep in de bergen en langs de oevers ronkten nu en dan al zachtkoperen harmonieën. Ook waren er al de kleine verrassingen: bomen opeens vol lampions zoals zelden nog gezien, een steiger lichtte op als een rood staketsel over en in het donkere water voor het hotel, het hotel Axenstein dat gloeide en glom uit alle ramen. Naast het hotel stonden de staldeuren al wijd open zodat de feestkoets was te zien, glanzend in het licht uit de hal. Meisjes vlochten hun haren, elkaars haren, vlochten rozenslingers en van links en rechts daalden uit de straatjes steeds opnieuw gerepeteerde dank- en huldigingsliederen neer. En dat in dezelfde tijd dat de koning met wijde neusgaten Berg had verlaten, diep ademend naar buiten was gestapt, popelend zo snel mogelijk Mühltal te bereiken waar de trein stond met Kainz. Rijknechten herinnerden zich later nog de elastische sprong waarmee de dikke koning de koets had verlaten, de verende schreden waarmee hij de trein had genaderd, de vreugde die van hem afstraalde bij het zien van al zijn luxe als zag hij die voor het eerst. De trein vertrok, een zalige minuut, even ondraaglijk als snel voorbij, een trein met koks, friseurs, een directeur van de spoorwegen en de kamerdienaar Hessel-schwerdt die alle zorgen van hen af zou nemen. O, veel te snel liet de koning Kainz tot zich komen en zat zo naast hem toen de trein door een lange tunnel schoot met donderend en rate-lend geweld. Schuchter legde Ludwig even zijn hand op de arm van Kainz. Angst? dacht de histrio zelf geschrokken, in werke-lijkheid glimlachte de koning, verrukt door een oplichtend vi-sioen samen verpletterd, onontwarbaar in elkaar vermengd op te stijgen naar de burcht der burchten waar men zich nooit verveelde, aan het louteren geen einde komt en waar geen be-ambte toegang heeft.

Na de tunnel was het alsof de rijke dagen opeens veel helder-der voor hen lagen, dagen boordevol beloften, waarin ze alle wondere vergezichten samen zouden delen. Zoiets kweekt groepjes, geen gewone groepjes... andere, groepjes die wisten en vraag niet hoe: 'Daar kwam iemand op hen toe... een koning en wel zo eentje die van de nacht een dag maakte, een Wagne-riaan en minnaar der poëtasterij. Een zachte, dikke nachtge-boorte was het, van Gods genade en geen mensenvriend, aha... maar iemand die graag, ja het liefst alleen wilde zijn...' Pein-zend streken sterke vingers over de snaren van de citer, in vierkante kuiten woelden al de volksdansen, in strotten brom-den en humden reeds de volksliederen, hier en daar schoot een jodel omhoog en handen jeukten om 'klatschend auf der Kurz-lederne' geen stuk heel te laten van een koningsdroom. Enke-len zetten al gruwelijke tuba's op tafel en plaatsten er de koper-poets naast. Maar hij was taai, de ochtendlijke koningsdroom, zorgvuldig en liefdevol uitgebouwd onder het bekijken van Kainz terwijl deze met luide en zilveren stem de krant voorlas: uit vredige vissersboten achter Kainz, flanerende matrozen aan de oever van het meer in zomerse windstilte met Kainz, het schrijven van trage droevige brieven terwijl iedereen sliep aan Kainz, nog wat boerengeluiden zoals het gepiep van een wagen en verder veel fruitbomen zwaar hangend over het water.

Ze stapten eerder uit dan Luzern, voor alle zekerheid, en reden in een eenvoudige coupé naar de 'Kastanienbaum', de aanlegplaats van de boot. Terwijl ze wachtten op de steiger, in de koets, verzamelden zich mensen, nekkrabbend, borstwrijvend, neuspeuterend en staarden door het glas.

Ruisend naderde de stoomboot, het lichtgroene water krulde voor de boeg, de raderen plepperden zachtjes. De loopplank bonkte als op alle dagen, maar de kapitein was te smetteloos, hij glom en glansde als een hondepiel en droeg een oogverblindende witte pet met een grote gouden zon. Hij salueerde toen Ludwig de plank betrad en versteende, de markies van Saverny groette niet terug.

Aan het ontbijt onder de baldakijn op het voorschip keken ze opgetogen rond: door de schaduw van het zeil leek de wereld groener, geler, zonniger, en de bergen, onzichtbaar door het zeil, reikten voor hun gevoel sneeuwwit tot in de hemel. 'Schöne, helle Tage,' zei Ludwig met glanzende ogen, en zich omdraaiend riep hij: 'Beeil dich, Kapitän!' Deze sprong in de houding: 'Wir machen schnelle Fahrt, Majestät...' eerst toen gleed er een wolk over het gezicht van de koning. Een gezicht dat zich opnieuw verduisterde tegen twaalf uur toen de boot bij Brunnen was aangekomen. Om de een of andere reden verwarden ze het met het lieflijk naar de oever glooiende Treib, zo op het oog bijna dorps, doorschoten met bloemen en geelgroene Rütliweiden, maar het werkelijke doel lag helaas aan de andere oever. Een steiger zwart van de mensen, zwaaiende vlaggen en wimpels, de versierde koets al van verre zichtbaar, de zon vonken spattend op het koper van de muziekinstrumenten. Kainz keek nieuwsgierig van het donkere ongelukkige gezicht van de koning naar dat van de kapitein die ontroerd knipperde met de ogen als gold het de mooiste dag van zijn leven.

Doorvaren, beval Ludwig met geknepen stem en ze zagen de

steiger verkleinen, vol mensjes die niet minder hard zwaaiden en velen liepen langs de oever mee zo ver ze konden. Om hen heen versomberde het landschap mee als in een november-maand, loodrecht en donkergrijs rezen de rotsen uit het water omhoog dat vol donkerblauwe schaduwen was en flesgroene zonnevlekken.

Ze voeren bijna tot aan Flüelen, moesten daar keren, traag en moeilijk en vlak langs de steile rotswanden met hun verlok-kende witte en verre sneeuwvlakken. Tussen Flüelen en Sisi-kon liet Ludwig stoppen bij de 'Tellsplatte', over de boot cir-kelden wat hoopvolle meeuwen, verder was alles stil. Met Hes-selschwerdt werd Kainz de wal op gestuurd om de Tell-kapel te bezoeken, vullen en beladen met Tell-beelden zou de koning zijn prachtstem, de matroos rukte aan de riemen van de roei-boot, de weerspannige rechte rug van Kainz wiegde stijf bij iedere slag en de rimpels gleden tot ver over het water.

De kapel bleek een gebouwtje met twee bogen aan de voor-kant, een rood dak waaruit een spits torentje omhoog prikte, alles bekroond door een groot kruis. Het stak wat schril af te-gen het frisse groen. Binnen was het koel, in het midden het altaar met wat ouderwetse kerkkandelaars, aan de wanden de fresco's met de exploten der baardige gezellen: het schot op de appel in Altdorf, Tells sprong, Gesslers dood. Kainz geeuwde: 'Ik heb het al gezien,' zei hij. Ze liepen terug over het steil da-lende pad in een drukkende onwennigheid.

'Waarom die kapel juist daar?' vroeg Kainz gemelijk.

'Daar heeft ie een keer geschoten,' antwoordde Hessel-schwerdt en liet het daarbij. De koning zat breeduit in de scha-duw, vol verwachting naar voren leunend, wiegend van onge-duld, de handen op de knieën. Zijn gezicht stond bol van nou? en? hoe? wat? welke fresco van Stuckelberg hem het meest had aangesproken?

'Dat schot,' zei Kainz, scheef loerend naar Hesselschwerdt, 'op die appel.'

'Nee, nee,' zei de koning vriendelijk belerend en even de

hand heffend, 'de eed op de Rütliweide, deze heroën... un fou-dre, boven-natuurlijk!...'

'Schot op de appel,' zei Kainz die zich opeens geen wei meer kon herinneren.

'De Rütliweide,' zei de koning scherp en liet de hand zwaar op de knie terugvallen, 'ik haat schieten, haat ogen die schie-ten, kijken, richten. Ik ken ze, die schietogen: jagers, beamb-ten, Oom Luitpold... Maar jij Kainz, jij hebt mooie ontvangende ogen, Goethe-ogen. Ach! Himmi-Herrgott-Sakrament... die ontvangst!'

Zacht plassend en brommend zette de boot zich weer in be-weging, onaangedaan gleden bomen en rotsen voorbij. De ka-pitein probeerde braaf Föhnhofen, dat iets voor Brunnen lag, maar daar wachtten dezelfde mensen, vergevingsgezind zwaai-end en juichend, dezelfde koets.

De koning leunde zwaar op de arm van Kainz, met een star, wat onwezenlijk lachje, en maakte met de linkerarm steeds de-zelfde groetende beweging, alsof hij steeds opnieuw iets tracht-te uit te leggen. Stapvoets ging het terug naar het hotel, de in-gang een haag van potpalmen, de hal versierd met bloemen, slingers en guirlandes. Na elkaar traden enkele mannen naar voren die hem toespraken, een ervan droeg zelfs een sjerp. Wat ze zeiden was niet altijd even goed te volgen maar de bedoe-ling was duidelijk en geen zee ging hen te hoog: 'Möge es Ro-sen regnen wo Ew. Majestät gesegneten Schrittes dahinstre-ben...' waarop Ludwig bromde: 'Heliogabalistische Alfanzerei,' maar verder herhaalde hij waar maar mogelijk: 'Das ist sehr liebenswürdig, die Schweizer sind gute Menschen, sehr coura-giert.' Een klein meisje, kleurrijk als een aangekleed popje, wil-de 'Seiner Majestät ein herzhaftes Bussi aufdrücken', maar Ludwig ontkwam met een niet onbehendige koprol.

Aan de horizon, over de menigte in de hal heen zag Kainz hoofden heen en weer schieten in een overzenuwde haast. Veel was daar nog in voorbereiding, maar ook voor het hotel stel-den zich dwingend rijen meisjes op in fleurige klederdracht, met rode, verhitte gezichten en rokplukkende handen. In de verte marcheerde muziek naderbij. 'Das ist sehr liebenswürdig,' zei Ludwig op het bordes en hij keek neer op de onbegrijpelijke, wervelende menigte, de rijen witgebloesde meisjes en bonkige musculeuze mannen, waaruit steeds weer onverwacht jodelende, schelle kreten opstegen als vuurpijlen.

Teruggevallen tot een mechanisch glimlachen en gebaren had hij zich diep in zichzelf teruggetrokken, beluisterde hoffelijk de plechtige mededeling dat het hotel, vereerd als nooit tevoren, speciaal een meesterkok uit Parijs had laten overkomen, een Maître Poisson, overzag haarscherp de gruwelijke consequenties en zei: 'Das ist sehr liebenswürdig,' heel veraf zich verbazend over de pijn die de joelkreten veroorzaakten met de erdoor opgeroepen spookachtige flarden *Walküre*, Luzern en Triebschen...

Het diner was een culinaire vorstenwaan, een roes van een tot de hongerdood veroordeelde Maître Poisson. Lijfelijk onzichtbaar presenteerde de meesterkok zich in gesublimeerde vorm, hij leidde zich in met 'Kaviar, Wildbretpasteten, feine Ragouts in Muscheln', gleed over in aangedraafde 'frische Forellen mit Mandeln', flankeerde zich met 'Waldschnepfen mit Trauben, Birnen und glasierten Kartoffeln', openbaarde zich eindelijk in 'getrüffelte Kapaunen à la Maître Poisson' en nam afscheid met 'kandierte Früchte, Marzipan, Kaffee und Liköre', alles doorflest met Franse wijnen, wit en rood.

Een hotelier waar de koning in '65 had gelogeerd uitte het grote verlangen na het diner een vuurwerk te mogen afsteken. Daar Ludwig dit 'liebenswürdig' vond bezagen ze het wat lodderig vanaf de stoomboot 'Der Waldstätter', zagen pijl na pijl de hoogte in gaan, de rozetten, zonnen en mislukte petsjes in de lucht en de plotseling uit het donker opspuitende, drijvende lampionnen.

Ze stonden naast elkaar aan de reling, de koning bleek ondanks alles rozig gestemd: 'Sie sehen ganz verdattert aus,' zei hij tegen Kainz en streelde hem over de wang.

'Het is ook zo mooi,' zei Kainz en hij meende het. Het vuurwerk eindigde in een grote draaiende zon die nog lang nagloeide als een brokkelige cirkel boven het donkere water. Als dank floot de boot driemaal, hol en hees en het geluid rolde ver over het water tegen de zwarte bergen. Ludwig dankte, zwaaide met de hoed maar liet de boot nog een eindje over het meer varen tot het wat stiller zou zijn geworden aan de wal.

Op het meer was het koel. Kainz huiverde nu en dan en staarde naar het reepje groenverlicht water dat langzaam voorbij schoof. Voor zijn ogen rolden en spetterden nog steeds de ballen en rozetten. De koning stond dicht bij Kainz, deze bespeurde duidelijk de druk en de organische warmte van het machtige mannenlichaam, hoorde de stem diep en donker vlak boven zijn oor, met alle slikgeluiden en ademgeruis. 'Als de nacht van Königgrätz,' zei Ludwig, 'toen in '66, een zomernacht als deze was dat, maar iedereen was geëchauffeerd en nerveus tot het uiterste, want er hing onheil in de lucht. Plotseling klonk de kreet: "Die Preussen sind da! wir sind umgangen! Verrat!" en mijn zeven zware en dappere ruiterregimenten sloegen op de vlucht. De hele nacht, de zomernacht van Königgrätz galoppeerden de witte mantels spookachtig door de Frankische dorpen. Dat was dan de paniek van Gersfeld. Ik zat op mijn rozeneiland en liet zo'n kurassier overroeien en vroeg hem hoe het geweest was. Afschuwelijk! Paul Taxis sprong te paard en galoppeerde om de villa heen, het dreunen van de hoeven zwol aan en plotseling schoot hij uit de nacht het grasveld op met fladderende mantel en suizende Raupenhelm en ik riep: "Der Pfo ist da! Verrat! Was het zo?" "Nee," zei de varkenskop, "zo was het niet."

Paul deed zijn best, hij gilde en stoof totdat de man zelf te paard sprong. Hij reed veel verder weg, reed ook harder, raasde op ons af als een lawine maar stormde dwars door de rozenstruiken. Fonteinen rozenbladeren spoten de lucht in, Crotons en Bruder-Konradrozen plopten en regenden overal neer, een tafel kantelde, flessen en glazen braken en rolden opeens overal in het rond. Een versplinterde stoel vloog door de ruiten en de man brulde als een varken, werkelijk als een varken! het was het meest onwaardige en bloedstollende geluid dat ik ooit heb gehoord. Het paard was bedekt met aan het zweet geplakte rozenbladeren zodat het bloedde uit honderden wonden en Paul goot een fles rode wijn uit over zijn hoofd en zijn uniform om er stervend uit te zien. "Zo was het," zei die man, "ongeveer..."

Wij hebben vuurwerk voor hem afgestoken en hij zong een soldatenlied, "Ach wenn dass die Preussen wüsten, dass sie morgen sterben müssten...", tot de brandweer kwam uit Starnberg, dat was erg, al die harde koppen in het ochtendgrauw. Men heeft mij nooit begrepen. Hesselschwerdt!'

'Majesteit.'

De koning balde een vuist in de richting van de wal: 'We moeten daar weg, uit die afschuwelijke kafferkraal!'

Bij de wal werd het weer warmer, de boot voer heel zachtjes, eigenlijk nauwelijks meer en de roerganger zong een wat vreemd en treurig lied: 'Bist du traurig... geh nach Pnorr.'

Dank zij de leider van het protocol Lederman kon de kafferkraal al de volgende dag worden ingeruild voor de villa Gutenberg, eigendom en woonstee van de uitgever Benziger. Geen verrassend aanbod van deze sterk geurende en heupwiegende man en gezien de overdadige, dromerige, bijna Byzantijnse luxe ook niet vrij van ijdelheid en hoopvolle fantasieën.

De villa bood een prachtig uitzicht over het meer en was vanaf het meer zelf ook weer makkelijk terug te vinden, zodat de koning naar de groene hellingen kon wijzen, Kainz even aanraken met de vingertoppen en zeggen: 'Daar wonen... wij.'

Wat voor Kainz nooit meer was geweest dan kostuum- en decorwisseling trad nu in grote ruime landschappen naar voren: ze bezochten Amsteg voor de oude vesting Zwing-Uri, Bürglen waar de grote schutter was geboren, de Schächen omdat hij daarin was verdronken en 'die hohle Gasse' bij Küssnacht waar Kainz 'mit einer rauschenden Fanfarestimme' van her en der de burgers en boeren aantrok met Tells monoloog 'Durch diese hohle Gasse muss er kommen;/Es führt kein andrer Weg nach Küssnacht'. Maar het liefst was de koning op 'das Rütli, die Schwurwiese'. In grotere of kleinere kringen drentelden ze erop of -omheen, op afstand onopvallend gevolgd door Hesselschwerdt en de houtvester Aschwanden. De koning had zich een wat serene glimlach aangemeten, met ogen glazig en afwezig evenzeer in zichzelf als om zich heen starend. Ze wreven kruidenblaadjes fijn en roken aan elkaars vingertoppen, bekeken de muggenzwermen tussen het riet aan de oever waardoorheen de vogels spiraalden, de wolken en de harde schaduwen op de bergtoppen en de hemel die veranderde van blauw naar zachtgeel en oranje.

Een enkele maal stonden ze voor een ravijntje waarin een beekje gorgelde, dan daalden ze voorzichtig af, zich aan elkaar vasthoudend en de koning koelde zich, moeilijk bukkend, bijna ritueel het voorhoofd. Kainz deed de Melchtalscène: 'Durch der Surennen furchtbares Gebirg,/ Auf weit verbreitet öden Eisesfeldern...' of las, afdalend naar de weide Schillers eigen beschrijving: 'Eine Wiese von hohen Felsen und Wald umgeben...' terwijl de ogen van de koning donker en wat hulpeloos ronddwaalden in een poging woord en werkelijkheid bij elkaar te krijgen. In deze pogingen pasten geen andere mensen, verbitterd kon hij uitvaren over andere bezoekers: 'Die Balliste der Götter mögen mich niederstrecken...! da sind sie wieder... die hirnarme Lümmel.' Maar ook hier vond Hesselschwerdt een praktische oplossing en de koning begon zijn rondvaart als de anderen ermee ophielden. Nauwelijks was dan ook de laatste passagiersdienst binnengelopen of de 'Waldstätter', door de Kantonregering aan Ludwig ter beschikking gesteld, verliet ruisend de haven, de koning breed en triomfantelijk op het voordek.

Blauwig doemde de Rütliweide op in de schemering, de baardige gestalte van Aschwanden hoffelijk aan de oever, de verlichte vensters van de herberg vol beloften. De koning wachtte tot de boot stillag, dan nam hij de hoed af met een breed gebaar en riep: 'Guten Abend, Herr Forster.'

Soms werd er wat gegeten, Aschwanden koos instinctief voor een indrukwekkende soberheid: blankgeschuurde tafel, hagelwit tafelkleed, aarden schalen en kommen. Het voedsel was in reine eenvoud hierop afgestemd: een lichte landwijn, brood en kaas. Kainz dronk melk, geen wijn want hij vreesde de dommel en buiten wachtte de weide met de veeleisende schimmen van Stauffacher, Fürst en Melchtal. 'Eine schwere Wiese' voor Kainz, wiens stem door de ruimte werd opgezogen als regen door dor gras, 'eine schwule Wiese' voor Aschwanden die de koning wel eerbiedig maar toch met enige bevreemding met Kainz in de avond zag verdwijnen, en misschien verklaarde dat wel zijn opvallend hagelwitte en blankgeschuurde instelling als herbergier, 'der Scheisswiese' voor Hesselschwerdt wiens taak het was alle nachtelijk onheil te voorkomen zonder gezien te worden.

Het merkwaardige was dat de koning ten slotte niets anders meer wilde horen dan de Melchtal-scène, zelfs niet het vriendschapsgedicht wanneer de schemering als barnsteengoud over meer en rotsen viel en dat hij toch met zoveel ontroering en vreugde een keer had aangehoord, zelfs vrijuit met tranen bij het gefluisterde: 'Einmal gebrochen, wird's nie wieder ganz...' De Melchtal-scène probeerde hij nadenkend uit op verschillende plaatsen en vatte ten slotte zijn vele niet uitgesproken problemen licht geërgerd samen met een 'vielleicht hat sich hier vieles geändert.' Eenzelfde ergernis klonk ook door in zijn 'hier ist er nie gewesen' toen hij na Andermatt in plaats van het door Schiller aangelegde lieflijke dal met eeuwige plantengroei een kille hoogvlakte aantrof. Toch zocht Ludwig de tekorten niet alleen aan de kant van de beschreven en beloofde 'Hohe Felsen, Steige, Geländer und weisse Gletscher leuchtend im Mondenlicht', want op een avond aan de herbergtafel, kijkend naar het zwart geworden olieverfschilderij aan de muur, zei hij onverwachts: 'Kainz Joseph, je prachtige stem behoeft nog een innerlijke ervaring,' en hij opperde het plan om Kainz het huis van Walter Fürst te laten bezoeken in Attinghausen, de zo vaak bezongen Surennenpas over te doen steken, waarna hij verdiept en verrijkt in Engelberg kon overnachten om de volgende dag over de Jochpas naar Melchtal te pelgrimeren alwaar Ludwig hem zou opwachten. Een plan dat met een opmerkelijk enthousiasme werd overgenomen door Aschwanden met volle inzet van baard, bas en renommee als gids. Er lag bijna iets vijandigs in het verpulveren van alle bezwaren die de onthutste Kainz nog wist op te brengen met zijn plotseling donkere ogen, rauwe stem en zware vuist op het blank geschuurde hout. Blijkbaar ontging dat ook de koning niet, die de plotseling gevallen en wat ongemakkelijke stilte verbrak met een vriendelijk, bijna verontschuldigend: 'Courage Didier... draag het hart hoog, kom, nu komt het aan op dapperheid tegenover de vriend.'

Het was ook vreemd, daar ging Kainz, alias Didier, de bergen in met zijn hooggehakte marokijnleren laarzen, werkelijk de rotsen op, het oergesteente over. Bij iedere stap dreigde hij vloekend zijn nek te breken, zijn modieuze nauwsluitende kleding belette hem vrij te ademen, knelde warm en plakkerig om hem heen in de blakerende hitte beneden en beschutte niet tegen de plotseling ijzige vlagen veel hoger en later op de dag. Daarbij kwam nog dat hij onderweg moezel en champagne dronk tegen zijn woede en dorst, het goot zijn benen vol lood zodat hij ten slotte als een man van smarten, gebroken, doodmoe, zat van zichzelf en iedereen met brandende, tranende ogen van de zon achter Aschwanden aan strompelde, de man hatend tot diep in zijn gebeente. Deze, onaangedaan als een bergwand, klom verachtelijk in eenzelfde tempo verder, diep doorzakkend in de knieën, met vastberaden stok, breed van schoen, en met een uit nek, rug en dijen spattende onbeschofte gezondheid.

In de avond kwamen ze te Engelberg aan, in een herberg vol

Aschwandens die voorleefden hoe zo'n tochtje niets te betekenen had en hoe na zo'n dagje werd gegeten aan lange houten tafels, kaas en spekhomp samen in een knoertige hand geklemd waarvan dan traag en nadenkend en broodkauwend dobbelsteentjes werden afgesneden die voor het bier uit en tussen de woorden door in de mond werden gestopt.

Misselijk van moeheid viel Kainz in slaap en wilde de volgende ochtend niet opstaan ondanks alle aandringen. Om elf uur verscheen hij pas beneden, bleek, ongeschoren, met rood doorlopen ogen en verlangde een wagen die hem naar Stansstadt zou brengen, daar nam hij dan de boot naar Buochs. Dat de koning van Beieren dan in Melchtal tevergeefs op hem zou wachten scheen niet tot hem door te dringen.

Ludwig zat inderdaad in Melchtal, onder een boom op een bank, en dronk hete chocolademelk. Aan een paar kinderen van het dorp die kwamen kijken gaf hij twintig-mark-stukken met zijn beeltenis erop. Ze gingen op een afstand staan en keken daar verder hoe de koning dronk en rustig wachtte. Eerst toen Aschwanden hem kwam halen en alles vertelde raakte hij uit zijn humeur, maar alleen tot hij Kainz weer terugzag. Deze lag in een dekstoel en sliep zoals het een jongeling betaamt: geen kwalen, geen angst, weinig gedachten, het hoofd wat bevallig opzij, een hand op de schoot, de andere slap afhangend naar het dek. De koning keek vertederd naar de geknakte figuur en zei: 'Eine kolossale Leistung... für ein Entrepreneur des dramatischen Theaters.'

Tijdens de boottocht drentelde hij rusteloos om de ligstoel heen en bekeek Kainz van verschillende kanten en tegen verschillende achtergronden, zoals de machtige Pilatus en de Rigi. Met stijgende tederheid bekeek hij de uitgeputte gestalte in de stoel, zijn gezicht week en wat uitgezakt, de ogen, zoals meestal als hij moe was, wat hulpeloos loensend en de lippen prevelend als in gebed. De ogen sluitend nam hij al drentelend dat beeld mee: het zelfs nog in de slaap wat vulgaire en brutale gezicht, de zomersproeten op de wangen, de vermoeide hand; hij probeerde al mummelend zich Kainz' toon zo goed mogelijk te herinneren: 'Ungeminnt den hehrsten Mann stets mir nah zu sehen...' en de ogen weer openend over het verglijdende meer wist hij dat dit liefde was. Toen de boot wat van koers veranderde en er meer wind op de punt kwam te staan trok de koning zijn zware jas uit en legde die over Kainz. Roerloos staarde hij naar het hoofd dat boven de eigen kraag uitstak tot Kainz de ogen opende. Ludwig schrok even, stak toen waarschuwend een vinger in de hoogte en zei licht beschuldigend: 'Niettemin, je hebt gesnurkt.'

Aschwanden werd afgezet bij zijn weide, waar zich op dat uur alweer wat mensen hadden verzameld, en de boot voer verder. Maar 's avonds was hij er weer, vette walmpjes blazend die traag over het water dreven en met een koning op de plecht die tot tweemaal toe 'guten Abend Herr Förster' riep.

Aan tafel, onder de lamp las Kainz voor uit *Lichtenstein* van Hauff, een traag, wat Walter Scott-achtig verhaal. De koning luisterde niet, maar hij deed dit heel aandachtig, de kin gesteund in de witte hand, verloren glimlachend en met een hart vol melodie en dichterwoorden: 'Evoé mein Apoll, bin ich in dir vernarrt...'

Kainz dronk deze keer geen melk maar moezel, en het bracht hem dwars door *Lichtenstein* weer terug naar de geluidloze hitte daarboven, de barre stenen zonder mos, de blauwzwarte spleten waarin flarden mist. Zo kroop de avond voorbij tot de koning eindelijk opstond en zei: 'Komm... Arnold... Den Fels erkenn' ich und das Kreuzlein drauf,/ Wir sind am Ziel, hier ist dat Rütli...' Kainz sloeg met een klap het boek dicht, zeilde het een eind over de tafel en beende geeuwend de verdwenen monarch achterna.

Aschwanden bleef opeens vreemd alleen achter in het vertrek maar hij was een goede houtvester, wat wilde zeggen dat hij voelde wanneer er een dier ziek was, precies het moment wist waarop een beest moest bevallen of wanneer er een kalf stierf in het duister op zijn helling, of wanneer er sneeuw, föhn of lawine zouden komen over zijn weide. Daarom trad hij na enige tijd ook naar buiten en liep het donker in. Zijn ogen wenden snel aan het duister en als Aschwanden hoefde hij niet lang te zoeken. De koning stond, Kainz zat... geleund tegen een rotsblok en brak takjes. Waar Hesselschwerdt uithing viel niet te zeggen. Aschwanden vermoedde hem ergens in een boom waar hij de adem inhield, gelijk Aschwanden.

'Ach Kainz,' zei de koning, 'doe het nu toch? doe het voor mij.' Nukkig, nerveus en met veel schoudergeschok brak Kainz zijn takjes. Hij was bekaf, die afschuwelijke strompeltocht zat nog in zijn benen en weer werd het nachtwerk. Daarbij, hij begreep deze dwingende, eindeloze herhalingen niet, vond het bijna griezelig.

'Ik kan het niet,' zei hij, 'ik ben moe.' De koning haalde hoorbaar diep adem: 'Kainz,' zei hij, 'Kainz... als je nu de scène doet... dan mag je mij voortaan tutoyeren.'

Kainz zweeg. Na een tijdje zei de koning: 'Kainz, Joseph?'

'Mm.'

'Heb je je koning dan niet lief?'

Kainz gleed op de grond, rolde zich op de zij en trok zijn knieën op:

'Ach leck mich doch am Arsch!'

Zo was het, de aarde barstte niet, het meer liep niet leeg, de rotsen rolden niet tegen elkaar, alleen Ludwig zei nog wat voor hij wegliep: 'Goed, goed... je bent moe, rust dan maar wat uit.'

Bij de aanlegplaats stonden Hesselschwerdt en Aschwanden, ze gingen mee aan boord. 'Mijnheer de markies,' zei Hesselschwerdt, 'Didier is er nog niet.' 'Laat hem uitrusten, we varen terug.' Ondanks alle routine had Hesselschwerdt de koning toch te dicht benaderd, en zo zag hij opeens de op de tong kauwende mond, de vochtig glinsterende oogjes, klein van het lijden. Ook de koning keek even bevreemd naar het lakeiengezicht, zo dichtbij en zei schor, maar half in spot: 'Ja, ja en Jezus weende.'

Hesselschwerdt zag zijn kans om zich te herstellen en boog diep, terwijl hij een grote pas achteruit maakte. Troost, medelijden en woede tuimelden verward door zijn hoofd. 'Dat doet ie, Majesteit,' zei hij, 'beslist... met Uw welnemen.' 'Dank je, Hesselschwerdt,' zei Ludwig, 'souper om zeven,' en hij wendde zich af.

Dood

Als kind had Ludwig de majoor Von Wulfen, die aan toevallen leed, tijdens het Edelweiss-plukken van een rotswand zien storten. Scherp uitgesneden tegen een stralend blauwe hemel riep de hurkende majoor 'euheu!', strekte met geknepen ogen een arm stijf uit naar de horizon en tolde langzaam met nog steeds gestrekte arm uit het gezicht en in de afgrond.

Niet begrijpend, alle waarschuwingen paraat in zijn hoofd, een zweethand vol bloemen, kreten woelend in de keel was hij haastig weggeleid door Fräulein Meilhaus: 'Es ist nichts... O Gott, es ist nichts...' Maar de majoor keerde weer, aan het eind van Ludwigs leven: hij stond in sportkleding met de rug naar Ludwig toe, die met angstige, dunne kinderstem vroeg: 'Wohin gehst du im Winter?' en de majoor antwoordde: 'In die Berge.' Een vreemde droom, vreemd ook door die laatste woorden die met een zekere duistere dreiging maar in zijn hoofd bleven hangen. Erover praten deed hij niet, erover denken nog minder, maar de woorden waren er en kwamen nu en dan tot klinken als een uitspraak over een treurig lot.

Zo was het ook, tijdens de in aantal sterk toegenomen nachtelijke ritten zat hij in zichzelf verzonken als in een theater en bekeek de gedachten die in slierten aan hem voorbij dreven terwijl hij schuddend werd voortgereden door de bergen, de bergdorpen, over dorpspleinen. Soms keek hij naar buiten en zag de boeren gebogen, maar met slimme muizeoogjes de muts afrukken, en dan gaf hij hun het volle uitzicht op een gelaat van steen vlak voor het raampje, zodat ze zich haastig bekruisten, en hij dacht voor hen wat zij zouden moeten denken: 'Da geht er, der blasse König, er reist ab, er geht heim, er geht nach Hause, er macht eine Fahrt ins Dunkle, er geht... in die Berge.' Zonder inspanning doorzag hij het rijtje, keek op zichzelf neer met sentiment en mompelde een paar maal: 'Ein schönes Begräbnis.' Een lichte verachting beluisterde hij er ook wel in.

Soms stoorde de dood door plotselinge absenties, in een gesprek of ook aan tafel, zodat hij opeens door een consommé kon heen staren naar die verkleumde zieke engel Otto, hoog in de schouders, wiegend op de maat van een oeroude speeldoosmelodie: 'Es ist bestimmt in Gottes Rat, dass man vom Liebsten dass man hat muss scheiden...'

Dood was er ook gekomen in het wat bevreemd wrijven over het eigen lichaam bij het ontwaken: lauwe bolle vlakken vol herkenning en droefenis waarin een vreemde logica lag verscholen die een eenvoudige, angstig op het hart gelegde hand vertaalde in de legendarische Ludwig der Bayer met zijn verfrommeld blauwstenen kerkgezicht. Deze vrome stichter van het klooster Ettal waaraan zich zoveel graallegenden hadden gehecht was tijdens de berejacht overvallen door een attaque en gestorven in de armen van een eenvoudige boer. Met zijn laatste woorden was hij terechtgekomen in de schrijfoefeningen van Fräulein Meilhaus en stierf daar tientallen malen krassend in zijn 'süzze Königin, unser fraue, bis pei meiner schidung'.

Ook in de bouwwoede van Ludwig klonk de dood mee: niet in het metselen, beitelen en hakken, niet in de dampende karavanen met stenen, kalk en planken die tegen de bergen opkropen, maar in de maanden sneeuw en ijs waarin het tumult opeens zo vreemd kon verstillen. Eerst die stilte vertelde hoe gevaarlijk leeg alles was dat al was afgebouwd: in de Linderhof zag het Venusbeeld nooit minnaars, de roze en rode boudoirs bleven zonder geruis van zijde en gekir van ontucht, de eetzaal kende geen andere geur dan van vernis, was of verf en nimmer werden de praalbedden bevlekt door orgieën. Die verdwaalde Versailles-romp in Herrenchiemsee was een ontvangstzaal zonder hof, geen koning die daar nauwkeurig de revérences woog van zwetende diplomaten. De Galerie des Glaces, de helblauwe salon, de jachtkamer, de rode eetzaal, alles leeg, leeg tot op de rand van pijn. Neuschwanstein met koetshuis, binnenplaats, bediendenzalen, kapel, troonzaal, gangen en fresco's en miraculeuze uitzichten, leeg, leeg en dood als een la-keienblik. Maar alles stond klaar, wenkte en wachtte, lonkte, lokte en koerde in glans, pracht en praal zodat alles nog leger werd. Ludwig bouwde met de dood op zijn hielen, bouwde zijn burchten tot holten die de gasten wel moesten aanzuigen, dat kon niet anders, zo'n leegte liet de bovennatuur niet toe. Ze zouden komen met gerol van wagens, prijsliederen, stemmen en stappen. En dan geen lakeien meer, geen gegalonneerd sol-datentuig, hofkliek of mappendragers, alleen maar zijn schedel-volk: de bleke oogomschaduwde Tristan, Marke en Melot, de nobele verscheurde Tannhäuser, Wieland, Biterolf, de edele Walther, de zilveren Loherangrîn en de Longobardenkoning Desiderius. Zij zouden er opeens zijn in eigen meegebracht licht, monumentaal vertragend in de zo wonderschone mauso-leumgebaren.

Adeldom, reinheid en kuisheid zouden hen ontvangen, maar de meeste van deze was de kuisheid, opgebouwd, gesmeed uit eden gezworen bij de Franse leliën, op schrift gestelde en plech-tig opgedragen beloften, het afsmeken van vloek en verdoeme-nis bij het overschrijden van zelf gestelde grenzen, het afkoe-len van de koninklijke Popo in kommen sneeuw of ijswater wanneer het hete Wittelsbacherbloed weer in de lendenen klopte en dreunde, alsmede het slapen met handschoenen aan.

Wanhoop, vermomd als zelfbeheersing, die de zenuwen spande als snaren en een wereld herschiep die uit louter stoor-nissen bestond. Daar waren bij voorbeeld de onverklaarbare figuren die onverklaarbare dingen deden, zoals die tuinman met dat koningsblauwe wambuis die precies deed alsof hij de tuin verzorgde, of nog scherper die zwarte buikige man opeens aan het einde van de gang, verschrikt opkijkend met een even vonkende bril, en even plotseling weer verdwenen voordat de vraag zich nog had gevormd. 'Niggl!?' Geen man gezien. 'Hol-reiser!?' Die kromde de rug als een kater, behaagde het Zijne Majesteit te schertsen? 'Hesselschwerdt!? een kalende man, grijs baardje, zakken onder de ogen, professoraal type.' Nee, zo'n man was er niet, was er ook nooit geweest. 'Vervloekt, Hesselschwerdt! wat is hier aan de hand, ik heb toch ogen in mijn...' Hesselschwerdt boog diep, bijna oosters, beide handen gevouwen op de zilveren borst: 'Majestät... göttliche, gütigste, tausendschönste Majestät, vielleicht verbrüdert sich die Krone Bayerns mit der Poesie der Hallucinationen...'

Hesselschwerdt verdween, zijn glimlach bleef. Hallucinaties? Ottootje achterna? Als jongen had deze hem eens met grote, ronde en verontruste ogen gewezen op een middelbare man die iedere avond heen en weer liep in het parkje op het Odeonplein. Een wandeling? iedere avond? Is ooit iemand uit op een wandeling iedere avond op het Odeonplein? Otto had gelijk, plotseling kon de onschuld verdwijnen: van een wandeling, van een heen- en weerloper op een plein of in een gang, van een rondrit in de nacht of van bij voorbeeld een doodstille koets die zo maar opeens midden op het gruwelijke, zonovergoten binnenplein stond. Die koets was hem opgevallen, spatte om zo te zeggen met zon en al in zijn gezicht toen hij zijn naar wijn riekende plas in de pot de chambre op de grond had gezet en daarna het gordijn even had laten kieren. Het verontrustte hem, maar instinct deed hem zwijgen.

Om te slapen dronk hij veel wijn, zonder wijn geen slaap, maar geen wijn zonder hoofdpijn en met hoofdpijn was het moeilijk weer de slaap te vinden. Dan hielp chloraal. Via het bonken en kloppen in zijn hoofd staarde hij dan in zijn eigen rode lichaam en wrong de gehandschoende handen in begeerte en vertwijfeling.

Een keer groeide het gebonk in zijn hoofd aan tot gestamp en geklos, holle galmende stemmen, gelach alsof gangen en vertrekken vol liepen met mensen. De rode schemer van de wijn stond toe dat hij erom glimlachte, en alweer bijna in slaap bekeek hij de wondere stoet die door zijn kamer trok: onherkenbare gestalten en zelfs even een zwarte vrouw met vaginaal roze handpalmen. Man, koets, vrouw... werd dan alles zwart? Das wäre... hij zocht nog even het juiste woord voor hij weer in slaap viel: 'Das wäre... unappetitlich.'

Stoornissen. Daar was het krassen van de paar kraaien die zich in de toren hadden genesteld, kra... kra... Hij haatte de jacht maar beval toch ze af te schieten. Dat lukte niet dadelijk, kra.. kra... Hij dacht aan Kriemhildes droom en liet het schieten ophouden, aanvaardde het krassen als een teken. De droom vermenigvuldigde de vogels: honderden nesten plopten in het uitzicht tussen de takken, de lucht was een netwerk van diep donkerende cirkels. Ze stierven bij duizenden, boeren sloegen ze met stokken uit de lucht en voerden ze aan de varkens. Iedere steen was raak, velden vol dode vogels waarin er nu en dan nog een stuiptrekte en opsprong als een kikker. Met wagens vol werden ze afgevoerd, en wie een karkasje oppakte uit de lauwe massa en erop blies hield een wit schedeltje in de hand. Hij dubde er lang over na bij het ontwaken, over de voorvoelde duistere dreiging dat iets blijkbaar was begonnen en dus noodzakelijk ook moest eindigen.

Beklemming, onrust en hoop deden hem soms uitrijden gekleed als de grootste aller Lodewijken. Een brokaten man met een grote fluwelen baret met struisvogelveren en lakschoenen met hoge rode hakken en gouden gespen, die onderweg uitstapte en de aandravende rococo-stalmeester met de fakkel naar het kasteel Neuschwanstein vroeg met sterk buitenlands accent. 'Majestät,' was het antwoord, 'wir sind ganz in der Nähe.' 'Eh bien,' zei Ludwig met een sierlijk handgebaar, 'allons-y.' Of hij liet alvast dekken voor vier en converseerde met de avontuurlijke en bekoorlijke madame de Pompadour, met de gravin Du Barry over haar ontrouwe Moor en met Antoinette over haar lieve kinderen. Daarbij beluisterde hij scherp de ruimte om de eigen stem.

Een keer overviel hem daarbij de angst, hij riep een lakei en praatte met de boerenknaap over alles wat hem maar te binnen schoot: over het dorp waar hij vandaan kwam, wat hij graag at, over zijn ouders en ook over zijn eigen kwellende geldzorgen. Samen stelden ze half voor de grap, half in ernst een lijst op van mogelijke geldbronnen. Hij schreef het op, met onhandige grote krulletters omdat het papier aan zijn transpirerende handen kleefde: Keizer Franz Joseph, de koning van Zweden, de Sjah van Perzië, baron Rothschild, de prinses Thurn und Taxis, geldschieters en de nuggets goud die zo maar rondslingerden in de rivieren van Amerika.

Die geldzorgen bleven, zwollen zelfs aan tot dreigende gerechtelijke stappen. Kwiek opengeklapte mappen van de Kabinetskassa toonden ze in scherpe geur van inkt en leer, in onbegrijpelijke tabellen, cijfers, procenten en niet eindigende zinnen op stukken die de koning verveeld en nukkig doorbladerde, woordeloos weer terug gaf, daarbij met de hand ieder commentaar afwenkend.

Hij herinnerde zich soms weer de angst en het daarin opgenomen brutale, ronde boerengezicht met het stugge gele haar. De lijst met vluchtwegen die ze samen hadden opgesteld was niet meer terug te vinden geweest, in geen prullenmand en op geen bureau. Hij liet een aantal malen een lakei komen, even willekeurig als toen, maar zijn 'crétin blond' zoals hij hem voor zichzelf noemde was er niet bij. Als vergoeding hiervoor verwerkelijkte hij flarden wensdromen, liet de geroepenen gebogen het vertrek weer verlaten, achteruit schuifelen met tot op de grond afhangende armen, later ook op de knieën of op handen en voeten en zelfs plat op de buik, oriëntaals achterwaarts kronkelend met bonkende knieën en fladderende handen. Boevenpak. Hij verbaasde zich over de bijna vijandige bereidwilligheid waarmee ze zich de vernederingen lieten welgevallen, staarde ze na door een kier van de deur en zag ze door de gang wegdraven, nu en dan even opspringend als opgetogen kinderen op weg naar huis. Ook dat verontrustte hem.

Natuurlijk vond hij zijn blonde boerenzoon weer terug: spuugzat en massaal zat hij op een tabouret in de slaapkamer en keek over zijn verkreukeld hemd en bomberende buik naar zijn dikke dijbenen van moederszijde waartussen het rauwrode lid troosteloos afhing. Hij luisterde naar de schuif- en ritsgeluiden waarmee de crétin zich rap, bijna paniekerig weer in de kleren hees. In de kamer hingen nog de flarden van zijn opgedreunde minnezang: mijn poort van goud... ben jij een betoverde prins, mijn sterke porseleinen koningschender... ga er toch eens wat makkelijk bij liggen, ben ik niet je kietelslakje, je kruipmuis?... je honinglikkende brombeer?

Een trieste solozang, in de knaap zelf was het weke stromen van de wellust niet te wekken geweest, in het begin hard en stijf als de stam van een es waren rugbeen en bil uiteindelijk wel gaan trillen en sidderen, maar dan van ontzetting en ontsteltenis. Hij hoorde de snelle geluiden, wat geritsel, en de man verdween als een hagedis, hij hield hem niet tegen. Dat was dat, nu het stage knagen van het berouw.

Met trage grote letters schreef hij in zijn dagboek alle machten tegelijk aan, terwijl bij iedere beweging van zijn naakte onderlichaam een ranzige, lauwe geur opsteeg. Heiliger, nie zu brechender Schwur. Ich schwöre und gelobe auf das feierlichste, bei dem heiligen, reinen Zeichen der Königlichen Lilien, innerhalb der nie zur durchschreitenden, unverletzlichen Balustrade, die das Königliche Bett einschliesst, jeder Anfechtung auf das tapferste zu widerstehen und so Mich würdiger der Krone zu machen, die Gott mir verliehen had. Nec cessabo, nec errabo. Dieu m'aidera.

Daarna liet hij zich wassen, aankleden en friseren en beval in te spannen voor zijn gebruikelijke nachtrit.

Het duurde langer dan gewoonlijk voordat men hem kwam halen, maar hij voer niet uit die keer, vond het eigenlijk niet eens onaangenaam. Gedoken in zijn zware zwarte jas, de Schotse hoed diep over het voorhoofd, dommelde hij zelfs even weg. Uit het donkere niets van de 'Pollätschlucht' schoot een gruwelijke vastberaden zwarte hand omhoog en greep hem bij zijn ballen. Hijgend, gierend omlaaggescheurd veerde hij met een schreeuw omhoog voor een met grote houten stappen bonkende Zonnekoning, en profil, de volmaakte onderkin der Bourbons in het volle licht, de gelubde handen sidderend voor zich uit gestoken. Nog even een razende trippel van Marie Antoinette, met een krijtwit paniekgezicht onder een toch nog roerloos gedragen kapsel en pardauz!! daar was de stalknecht Osterholzer, niet onverdienstelijk handenwringend, buiten adem en nauwelijks in staat tot spreken. 'Verraad, commissie, Hohenschwangau, vlucht!!' Hesselschwerdt vertaalde de kreten, de koning vulde ze aan: in Hohenschwangau was een gezelschap ratten neergestreken die nacht, aangezogen gasten in kleding variërend van het diepste beambtenzwart tot een volledig en geheel diabolisch rood uniform met steek en pluimen (Legationsrat Rumpler). Een met ernst en doodsdreiging omgeven commissie uit München waaruit zich op een gegeven moment de welbekende graaf Holnstein had vrijgemaakt die Osterholzer had belet de koets in te spannen voor zijn koning, daar deze aan het eind was gekomen van alle nachtritten en bevelen verder alleen nog maar te verwachten waren van Onkel Luitpold in de residentie.

Zwaarwegende onheilvolle woorden, met Nonkel Lupo viel niet te spotten; kleine ouwemannenoogjes en een gezicht dat maar één uitdrukking kende, namelijk de nergens aan gebonden glimlach, die een leven achter zich had, chronisch tot aan de dijen in geschoten patrijzen, reebokken, gemzen en al wat er zo verder floot en sprong. In een zacht met zwanedons volsneeuwend woud, aan het blauwe zachtflonkerende einde van de dag, in een stilte van gene zijde zou die man niet aarzelen erop los te knallen als duizend houwitsers. O peilloze gruwel, en dan ook nog Holnstein, nog maar kort geleden ontdaan van gunsten, eer en waardigheden de poort uitgedonderd en daar was ie weer, zoals altijd feilloos opduikend waar het kwalijk rook of troebel was.

Deze namen nam de koning mee door het kasteel, hij liep trappen op en weer af, door zalen heen met wiegende mantel, vuisten ballend, tierend en vloekend. Met haatdoorschitterd oog bekeek hij zijn voorbijglijdende schemerende fresco's: dat waren dus de gasten waar hij een leven lang om had gekermd, dat was dus de vervulde belofte van maan, woud en bergen. Langzaam bouwde de koning zijn razernij op en hij haalde zijn materiaal uit de verste hoeken, zette zijn nagels in het gehate en verheven smoelwerk van zijn vader, duvelde zijn Pruisische moeder met ballonbenen en al de trappen af in een baaierd van rokken, slingerde saploze mappendragers in het ravijn waar ze als bessen uiteenspatten. De gendarmerie in Füssen moest worden gewaarschuwd, de vleugeladjudant graaf Dürckheim in Steingaden gealarmeerd, de brandweer in de dorpen opgetrommeld en die hele pipapo uit München gearresteerd op koninklijk bevel, in kettingen aangevoerd en in de kerker geworpen. Graaf Holnstein moest vol in de borst worden getroffen en daarna aan de toren opgehangen voor de kraaien. Ordre du Roi!

Nu eens snikkend, dan weer hoonlachend en vuistslagen uitdelend aan het meubilair liep hij heen en weer en staarde opeens ontzet naar een geweldige grijze hoed die met bibberende en deinende veren ter aarde daalde over een zich opvouwende mantel. Hij greep naar zijn hoofd, waarop het fantoom zich weer statig oprichtte, zich voorzag van langnagelige, sterk dooraderde handen, een geplooid en lubberig maar geheel roze gelakt en gepleisterd gezicht waarin twee koortsige Norneogen. De gestalte siste, stootte schelle kreten uit en zwaaide vervaarlijk met een paraplu: 'Ich will meinen König schützen mit meinem Leib,' de stem was hoog en rafelig. 'Herr von Crailsheim war auch dabei... nie spiel ich wieder Klavier mit ihm. Seine Kinder sollen sich dereinst schämen...'

'Die barbaarse kosmetiek,' huilde Ludwig op de schouder van Hesselschwerdt, 'laat me dit niet verbeeld hebben, O God nee.'

'Nee, nee,' suste de lakei, het was werkelijk barones Spera von Truchsess geweest, in vlees en nog een beetje bloed. Met haar paraplu was ze niet tegen te houden geweest, had gendarmerie en commissie uit elkaar geslagen en was binnengedrongen.

'Vermaledijd oud lijk, supra ordinair katijf,' snikte Ludwig nog na, 'commissie?... hier?...'

'Uit München, Majesteit.'

'Uit München?'

'Om u te dienen, zo te zeggen gearriveerd om het raadsel van Zijne Majesteit op te lossen, waar zij de mening waren toegedaan dat... eh... Allerhoogstdezelve geestelijk in de war zou zijn.'

'Ik... ik zou ze niet meer allemaal op een rijtje hebben?'

Berustend liet de lakei zijn handpalmen zien en verbijsterd liep de koning weg: een reuzengestalte, stampend door de vertrekken van lapis lazuli, violet, groengoud, wijnrood, en waar hij een fles vond dronk hij, in het ene vertrek champagne, in het andere cognac of gekruide rum of arak. Eindelijk vond hij zijn woede weer terug, rauw kraakte zijn stem in het trappehuis: 'Levend villen, ogen uitrukken, hun mijn verachting en grenzeloos misnoegen in het gezicht slingeren, de hoed achterna smijten, driemaal in het gelaat spuwen, aan de oren trekken! Car tel est notre plaisir!'

Ten slotte kleedde hij zichzelf uit in het ochtendgrauw en kroop in bed. Eindelijk kwam er iemand om de gordijnen te sluiten. Het was graaf Dürckheim die de gordijnen sloot: groot, roodblond, vol vazallentrouw en monsterachtig gezond. Zou het een keer gepresteerd hebben een hoertje dat hem danig nerveus had gemaakt acht keer achtereen het herensaluut te brengen. Een dompteurskarwei.

'Majesteit,' zei hij zonder veel plichtplegingen, zijn zwarte tors hoog boven het bed, 'u lijkt mij totaal van de kaart.'

'Het duistere gieregebroed cirkelt om mij heen,' zei Ludwig en viel in slaap.

In de middag werd hij gewekt, veel te vroeg, zijn hart bonkte en zijn hoofd klopte onrustbarend. Voor zijn bed zat graaf Dürckheim, niet uit de kleren geweest zo te zien, de laarzen op het rozehouten parket nog steeds bestoft.

Nog voor hij de mond had gespoeld met Vichy, nog voor hij

was gewassen, gefrotteerd, gekneed en geparfumeerd, ja nog voor de breinopwekkende scalpmassage en het ontbijt, confronteerde deze hem met de chaotische brokstukken van zijn ondergang.

Moeilijk begrijpend, somber als een uil luisterde Ludwig; geergerd, vernederd. 'Bismarck te hulp roepen? dieser Märkische Krautjunker! pah!...' Met Dürckheim naar München... zich het volk tonen? Naar München ging hij alleen om het aan vier hoeken in brand te steken. Hij, de al bijna legendarische Alpenkoning, de op een haar na tot Parsifal verheerlijkte Tannhäuser... zijn geest zou niet berouwvol afdalen in het van bier doordrenkte München: wéér urenlang grijnzen, audiënties, parades, mappen. O was iemand ooit zo alleen geweest? De vlucht naar Tirol? 'Ik ben te moe, ik kan nu toch niet reizen? Wat moet ik in Tirol, al die knoltorens. De hele zaak is een sottise, gaat alleen maar om geld,' en hij draaide zich om, het gezicht naar de muur. Hij lag en luisterde naar de stilte en lange tijd later naar het gekraak van afmarcherende laarzen.

De verlossende slaap wilde niet weer komen, het ontwaken echter ook niet goed. In het ijle gebied daartussen werd hij log en zwijgend gewassen, in zijn Moorse bekken overgoten en afgedroogd. Over zijn groot bleek lichaam hing een lichte poedergeur.

Naar hij zag werd hij in stemmig zwart gekleed, wat hem somber maakte. Hoppe bleek afwezig en een onbekende friseerde hem met onhandige vingers. Hij voelde de troostende warmte van het ingespannen gezicht vlak bij het zijne, een intimiteit die bijna noodgedwongen wel uit de school moest doen klappen. Ja, graaf Dürckheim was afgereisd, op bevel uit München, ook veel bedienden waren vertrokken, weggeslopen liever, de trouwe gendarmerie onder Poppeler was vervangen door jagers uit Kempten. Tja... in het café 'Zur Alpenrose' hadden zich wel wat boeren en brandweerlieden morrend verzameld, maar die waren ten slotte toch maar naar huis gegaan.

Hij begon weer onrustig heen en weer te lopen, een verzoek om in te spannen liep dood in een stilte. Somnambuul steeg hij op naar de Sängersaal, de vloer was nog niet klaar, overal slingerden stukken papier en stapels stenen, bij de Sängerlaube enkele verstilde tonnen met kalk en planken.

Het licht van zijn lantaren brak in het kristal van de kroon boven zijn hoofd en straalde zacht uit in de schemerende wanden. Links naast de Laube de lijdende Amfortas, vlak bij de rand van het tafereel liep een gekroonde vrouw die de graal droeg op een rood kussen: een klein kelkje waarboven een belachelijk bolletje licht. Verder kleine tegeltjes in een wat wringend perspectief en wat knielende meisjes. Hij trachtte nog wat blikken op te vangen met zijn lantaren vlak bij de muur, maar dat lukte niet en hij dwaalde weer verder, kwam in vertrekken waar hij nog nooit was geweest, kelders, bediendenkamers, de keuken. Vermoedelijk verborg iedereen zich voor hem want alles lag achtergelaten, hol en leeg. Huiverend klom hij weer naar zijn slaapkamer, de wanden daar hoopvol belichtend, maar geen verheven gelaat staarde hem aan, een complot der fresco's.

Onverwacht stootte hij nog op een chevau-léger, een onhandige vluchter blijkbaar. Met trillende handen zocht hij alle goudstukken bij elkaar die hij maar vinden kon in zijn laden en stopte ze in de tot een kommetje gevouwen zweterige handen: 'Misschien is het bekend, ik heb dit niet meer nodig.' De knaap bloosde, boog en schuifelde snel achterwaarts weg, aalglad, oerboerenslim.

Hij schelde, schelde weer, eindelijk verscheen Mayr in slordig toegeknoopte livrei die hij om de sleutel vroeg van de grote toren Luginsland. Weer alleen bezon hij zich op het waarom en voelde zijn kasteel heel ver om zich heen met heel diep van binnen zijn pompende, persende hart. Wachtend dronk hij overvloedig de Giesenheimer en Hochheimer, opeens overal rijkelijk aanwezig op kasten en tafels, geopend, met glas en al. Hoog op de toren, dacht hij al slobberend, wilde hij om zich heen zien, zich eenzaam opstellen aan de uiterste rand, desnoods nog op de tenen en daar de onverbiddelijke, onherroepelijke eed zweren van reinheid en zuiverheid. In die uiterste wanhoop zou zijn stem zeker beschikken over alle sonoriteiten der echtheid, en God weet zou een gongslag over de bergen rollen, het doek van de nacht splijten als een toneelgordijn en zou hij worden opgenomen tussen zijn gelijken, een door muren en paleiswanden heen gebroken heros onder de heroën. Tranen drupten in zijn baard als hij dacht aan de mogelijkheid van een onbewogen hemel, een leegte, een absolute verlatenheid met het donkere massief van de Säuling aan de ene kant en misschien nog wat licht blinkend in de Lech.

De sleutel kwam, in het druipsteengrotje vermande hij zich en sprak met gesloten ogen en snel prevelende lippen zijn voorgenomen laatste tekst. 'O Wotan, erhabener Gott, glaube, vertraue deinem Siegfried dessen Kraft nie erlahmen wird, der in kräftigen Faust Nothung führt und mit ihm jubelnd die Tat wirkt!'

Zijn stem klonk droog als het gips van de grot, verdonkerde vlak voor zijn gezicht en viel. Buiten in het duister van de hal traden plotseling gestalten naar voren, onoverzichtelijk, van alle kanten en grepen hem vast bij de armen, zonder aarzeling. Hij rukte en deinsde achteruit: 'Ahh... sluipmoordenaars... anarchisten!...' Naar voren stapte de hallucinatie, een wat verschrikte buikige man in het zwart, het kalende hoofd iets schuin en met een weer even vonkend brilletje. 'Majestät... beruhigen Sie sich doch... wir sind es nur, die Irrenärzte...'

Doodmoe weggezakt in een stoel voor het getraliede venster keek Ludwig door zijn kijker naar de lichte regenstrepen op het meer, de bijna niet bewegende witte passagiersboot en de donkergroene oever daarachter. Hij draaide de kijker om: de boot verkleinde tot een stip op water waar nauwelijks te zien was dat het regende. Zo sleurde hij met een verveelde grimmigheid het landschap naar zich toe en wierp het weer van zich af als een mokkende Titaan.

Die nacht was hij opgestaan in een plotselinge panische onrust en had aan de verpleger, keurig in het zwart en met belachelijke witte handschoenen, die al bij het eerst bonken van
zijn voeten op de vloer was binnengesneld, om zijn kleren ge-
vraagd. Die waren hem geweigerd, wel had hij zijn kousen gekregen zodat hij heen en weer kon lopen. Dat had hij gedaan:
van de muur met de foto's langs het bed en de toilettafel naar
de spiegel, waarin die verschrikte grootogige reus met zijn dikke in batist ademende buik, en weer terug. Urenlang had hij
heen en weer gestampt vol haat en bitterheid en geen klik van
het kijkgat was hem ontgaan.

Maar al stampend en bonkend was zijn haat veranderd in een
diepe zwaarmoedigheid, die zich had verdicht tot het zeurderige
speeldoosmelodietje: 'Es ist bestimmt in Gottes Rat...' Otto in
Schleissheim, hij in Berg, zo wilde het de God van de speel-
doos en met Hem het hele universum van artsen, verplegers,
koks, stalknechten en gendarmen. Heen en weer lopend had hij
ze duidelijk gehoord, besmuikt lachend en mompelend in de
gang. Op de tenen was hij naar de deur geslopen waarachter
enkele lieden elkaar vrolijk in de ribben porden met schuifelen-
de voeten.

'Die tanden!' zei de een.

'Wat?'

'Tanden! een bonbonverbodsedict zou zijn uitwerking niet
hebben gemist...'

Proestend gelach, gestomp, ze liepen hoorbaar in het rond
en sloegen zich op de dijen van pret.

'Tja, als je gelooft dat een lakeienaars de ingang is van het
paradijs...'

Huilend gegier, brakend gelach.

'In Neuschwanstein... als je die kerels daar zo gebogen zag
rondkruipen dan zag je niks als kont.'

Onderdrukt gegiechel.

'Als hij angst heeft komen er en suite van die kleurloze windjes uit de koninklijke popo.'

'En hij heeft altijd angst.'

'Ja?'

'Ja, hij heeft een folie!'

'Wat zegt dat?'

'Dat ie kierewiet is.'

Gesnik, gestamp.

'Geen wonder, bij de Wittelsbachers is het de gewoonte dat neef en nicht elkaar tot in bed achterna zitten...'

'O ho ho.'

'Heb je gezien... dat ie maar een heel klein poppeschuimpje heeft, ein ganz petites Pimmelammelücherli...'

Gegil.

'Die Wittelsbacher... van Gods genade!...'

Ritmisch gedans.

'Die tanden, hoho, haha...'

Ludwig hield de kijker voor de ogen en tastte met de vrije hand moe van schaamte naar zijn bezweet voorhoofd. Hij hoorde het tikken van een regenpijp, nu en dan vlaagden wat druppels tegen het raam. Hij slingerde het meer van zich af en besloot een wandeling in het park voor te stellen.

'Ik herinner me oom Luitpold vrij goed,' zei Ludwig, 'een rechtschapen man, zeer geliefd bij de Ultramontanen.' In zijn rechter ooghoek stapte de stemmig geklede Obermedizinalrat Prof. Dr. Bernhard von Gudden, de cilinderhoed elegant schuin op het hoofd, de opgestoken paraplu in een sierlijk beringd handje.

'O zeker! zeker!'

'Een harde werker ook, vol plichtsbetrachting.'

'O ja,' de stem klom prijzend de hoogte in.

'Vriendelijk in de dagelijkse omgang en flink in praktische aangelegenheden.'

Von Gudden was overgegaan op een licht wiegende pas: 'Majesteit, ik kan u verzekeren dat Zijne Koninklijke Hoogheid de Prins-Regent mijn volle, volle achting en respect heeft.'

Ze naderden het eind van het park, de poort was degelijk gesloten met een ketting, de schutting glooide geleidelijk af in het klotsende, golvende water. De bomen ruisten en de wind waaide nevelslierten van de bladeren.

Ludwig zette zich op de houten bank en zag hoe Von Gudden de paraplu toeklapte en rustig en zonder toestemming te vragen naast hem ging zitten.

'Kort en goed, Herr Alberich, hij is een kontkruiper zonder enige allure, een geborneerde jachtzuchtige kinkel en een vlerk!...'

'Maar, maar!... wat krijgen we nu!...' riep Von Gudden, de handen vertwijfeld in de lucht heffend en direct daarop scherp, bijna bestraffend: 'We gaan terug, ogenblikkelijk.'

Het woord trof als een steen, weer een slapeloze nacht, de verplegers... Met een schreeuw sprong Ludwig overeind, opeens rood van woede, en rende met grote passen het water in, weg... naar het rozeneiland, een bergtop, een jachthut, helpende boeren. Wild sloeg hij naar de aan hem hangende Obermedizinalrat: 'Je staat voor je koning!... op de knieën, canaille! canaille!' Wijd uitgehaalde brijzelende slagen met de kijker hakten in het lobbesachtige professorengezicht dat met brullende mond en puilende ogen in het water verdween.

Voort waadde hij met grote trage passen door het plakkende leem, tot hij opeens huiverend stilstond, tot zijn verbazing in zijn overhemd. Langzaam werd het kolkende water om hem heen zwart van de pijn, de bomen aan de veilige oever trokken krom. Met grote angstogen, beide handen tegen de uiteenscheurende borst gekrampt schuifelde hij terug, voetje voor voetje: huilerig, rillerig, met klapperende tanden: 'O God... o gottegod... koud... koud.' De hemel, geel en rood als een eierdooier, doorwoeld met waaiend geboomte, gorgelde opeens groen en ijskoud langs zijn oren. In paniek roeide hij in het rond met loodzware armen en stootte piepgeluiden uit als van

verplegers die stikten van de lach. Een onkoninklijke, wat onwaardige dood, daar hij tot het eind bleef hopen dat iemand
hem zou helpen.